FOOD & COOKING DATA

塩分、たんぱく質、カリウム、リンがひと目でわかる

腎臓病の食品 早わかり

監修・データ作成●牧野直子（管理栄養士）

女子栄養大学出版部

目次

腎臓病とは …… 4
腎臓病の食事療法のポイント …… 6
本書の使い方 …… 12
データの見方 …… 14
食事療法には欠かせません 計量カップ・スプーン …… 16

食品選び早わかり

主菜になるもの …… 19
魚 …… 20
肉 …… 40
卵 …… 52
大豆・豆腐 …… 54
冷凍食品 …… 58

コラム◎なにをどれだけ食べたらいいの？ …… 60

副菜になるもの …… 61
野菜 …… 62
きのこ …… 72
海藻 …… 74
芋・芋加工品 …… 76
漬物 …… 78
つくだ煮・塩辛 …… 80
ゆで豆・豆の甘煮 …… 82
種実 …… 84
果物 …… 86

主食になるもの …… 93
- ごはん …… 94
- パン …… 98
- うどん・そば・中華めん・パスタなど …… 104
- その他 …… 106

乳製品・豆乳 …… 107
調味料 …… 115
油脂・砂糖 …… 131
菓子・飲料 …… 137

外食選び早わかり …… 159

外食アドバイス …… 160
- めん …… 160
- 定食 …… 162
- 丼・すし …… 164
- 洋食 …… 166
- イタリアン …… 168
- 居酒屋 …… 170
- ファストフード …… 172
- コンビニ弁当 …… 174

外食カタログ …… 176

食品名別索引 …… 184

腎臓病とは

腎臓の働き

不要な老廃物を排泄
老廃物は体にとっては有害物質となるので排泄しなければなりません。腎臓で血液を濾過して体の中の老廃物を尿として排泄しています。

体内の恒常性（ホメオスタシス）を保つ
腎臓が電解質（ナトリウムやカルシウムなどのイオンになる物質）の量を調整することで、体内の水分や血液濃度、血圧などをコントロールしています。腎臓の機能が低下して電解質のバランスが崩れると、むくみが出てきたり、高血圧や心不全などを招きます。

また、腎臓は体内の水分量を調整する働きもあり、水分量が多すぎる場合は、血液中の水分を尿として排泄します。汗をかいたり下痢などで体内の水分量が減ったときは、尿が作られるのをおさえます。

血圧の管理
腎臓でホルモンを分泌して血圧を調節しています。腎臓病になると、血圧上昇ホルモンの分泌が多くなり血圧が高くなります。

体液を中性に保つ
体液のpHを、ほぼ中性（約7.4）に保つ働きがあります。代謝などを行なうには中性がベストなのです。

造血ホルモンの分泌
さまざまな造血ホルモンを分泌しています。腎臓病が進行すると、その分泌が減少して貧血になりやすくなります。

骨をつくる活性型ビタミンDの生産
ビタミンDはカルシウムの吸収を助け、骨に沈着させるために必要な栄養素で、その働きは腎臓や肝臓で活性型になって初めて発揮されます。そのため、腎臓病が進むとその機能が低下し、骨が弱くなるなどの症状が見られます。

腎臓病の種類

●急性腎炎（急性糸球体腎炎）
溶血性連鎖球菌やブドウ球菌、肺炎球菌などの感染が原因です。小児に多く発症し、成人にも起こりますが、80～90％の人は治る比較的予後のよい病気です。ただし、成人では10％くらいの人が治りきらず、慢性腎炎に移行することもあります。

●慢性腎炎（慢性糸球体腎炎）
成人の腎臓病で最も多く見られます。急性腎炎が治りきらず移行するものと、明らかな発病時期がわからず、たんぱく尿、血尿、高血圧、むくみなどの症状が1年以上続いているものがあります。

軽度のたんぱく尿、血尿が見られる「潜在型」、中程度のたんぱく尿と血圧の上昇が見られる「高血圧型」（進行すると腎不全になりやすく、食事療法が必要）、腎臓の機能が半分以下に低下した「腎不全型」（最も危険な状態で、一刻も早い治療が必要）に分けられます。

●ネフローゼ症候群
腎臓の糸球体に異常が起こり、毛細血管壁の透過性が増大し、本来なら透過させない血液中のたんぱく質をどんどん放出してしまう状態です。ネフローゼは症状に応じて食事療法の進め方が違ってきます。

●糖尿病性腎症
糖尿病による血管の障害が原因で、腎臓の機能が低下していく病気です。糖尿病が始まると腎機能の低下もじわじわ進み、持続性のたんぱく尿が出るようになり、ネフローゼを経て腎不全に至り、透析などが必要になります。血糖コントロールが肝心です。

●慢性腎不全
種々の腎疾患が進行して腎機能が低下し、体の内部環境の恒常性が維持できなくなった状態です。尿毒症の症状が出てきたら透析による治療が必要です。完全に機能を回復させるには腎移植が必要です。

慢性腎臓病（CKD）とは

慢性腎臓病（Chronic Kidney Disease：CKD）は、腎臓の働き（糸球体濾過量＝GFR）が健康な人の60％以下に低下するか、あるいはたんぱく尿が出るといった腎臓の異常が3か月以上続く状態です。

腎臓の機能が10％以下にまで低下すると、生命に危険をきたすため、透析治療を余儀なくされます。さらにCKDは、心筋梗塞や脳卒中といった心血管疾患のリスクが高くなります。

CKDの重症度はGFRの値と尿アルブミン定量、尿たんぱく定量の値によってステージ分けされ、ステージが上がるごとに、生活習慣の改善や食事指導が厳しくなります。

表① CKDの重症度分類と食事指導の基本

病期（ステージ）	重症度の説明	進行度による分類 GFR（ml/分/1.73㎡）	残された腎臓の働き	食事指導
G1	正常または高値	90以上		減塩6g／日未満
G2	正常または軽度低下	60〜89		減塩6g／日未満
G3a	軽度〜中等度低下	45〜59		減塩6g／日未満 たんぱく質制限（0.8〜1.0g／kg体重／日） エネルギー必要量（25〜35kcal／kg体重／日）
G3b	中等度〜高度低下	30〜44		減塩6g／日未満 たんぱく質制限（0.6〜0.8g／kg体重／日） エネルギー必要量（25〜35kcal／kg体重／日） カリウム制限（2000mg／日）
G4	高度低下	15〜29		減塩6g／日未満 たんぱく質制限（0.6〜0.8g／kg体重／日） エネルギー必要量（25〜35kcal／kg体重／日） カリウム制限（1500mg／日）
G5	末期腎不全	15未満		減塩6g／日未満 たんぱく質制限（0.6〜0.8g／kg体重／日） エネルギー必要量（25〜35kcal／kg体重／日） カリウム制限（1500mg／日）

出所／日本腎臓学会編『CKD診療ガイド2012』より一部改変、追加

腎臓病の食事療法のポイント

●塩分のとり方

　腎機能が低下すると塩分の排泄がうまくいかなくなります。そのため塩分をとりすぎるとむくみや高血圧を招き、腎機能をさらに悪化させてしまうので、塩分の制限が必要になります。

　塩分の摂取目標量は健常者でも1日男性7.5ｇ未満、女性6.5ｇ未満と厳しい設定ですが、腎機能低下となると、1日6ｇ未満が目安になります。肉や魚などの食材からも1日1ｇ程度の塩分がとれるので、その分を差し引いて調味料を使います。計量と計算、うす味の習慣がたいせつです。減塩のコツは次のとおりです。

減塩のコツ

①汁物は1日1杯までにする。
②塩分の多い漬物やつくだ煮、即席食品は避ける。
③計量カップ・スプーンを何組か用意し、計量を徹底する（16㌻参照）。
④新鮮な食材を使う。鮮度がよければ香味もよく、濃い味つけは不要。
⑤市販のだしは塩分が多いので使用せず、だしは削りガツオでとる。昆布だしはカリウムが多いので避ける。
⑥料理に油を活用する。油を使うとこくが加わるので、低塩ですむ。煮物やあえ物にも油を加えるとよい。
⑦酢や香辛料、香味野菜を活用してうす味を引きしめる。
⑧照り焼き、フライなど食材の表面に味をつける料理をとり入れる。少ない塩分量で味を濃く感じられる。
⑨よく噛んでゆっくり食べる。
⑩外食は高塩分の料理が多いのでなるべく控える。

できれば避けたい食品（塩分が多いもの）

○市販の固形ブイヨン、鶏がらだし、和風だし
○即席めん
○スナック菓子
○複合調味料（▲▲のもとなど）
○漬物（食べるなら低塩のものを少量にする）
○塩蔵品

減塩に役立つ食品

○酸味をつけるもの
→酢、柑橘類
○辛味や風味をつけるもの
→赤とうがらし、カレー粉、七味とうがらし、こしょう、さんしょう、ハーブなど
○塩分調整食品
→減塩しょうゆ、だしわりしょうゆ、減塩ソース、ドレッシング、減塩みそ、減塩だしなど（ミニパック入りのものを利用すると計量の手間を省けてより便利）
○計量ずみの塩
→0.3g、0.5g、1gなどミニパック入りのもの

●たんぱく質のとり方

腎臓は体内でたんぱく質がアミノ酸に分解されて不要になった「尿素窒素」などのたんぱく質代謝物を排泄します。「尿素窒素」は排気ガスに含まれる猛毒の窒素酸化物の仲間なので、腎機能が低下して体内に蓄積すると「尿毒症」を招きます。たんぱく質制限を行なうことで体内に発生する毒素のもとを減少させ、腎臓への負担を軽減することにつながります。

慢性腎臓病のガイドラインではたんぱく質制限は0.6〜0.8ｇ/kg/日、計算すると標準体重50kgでは30〜40g/日、60kgでは36〜48g/日になります。今までの食事より4割ほど少ないたんぱく質量と考えるとよいでしょう。

たんぱく質は主菜になる魚介や肉、卵、大豆だけでなく、主食のごはんやパン、めん、副菜になる野菜にも含まれます。たんぱく質の制限量を守るには、主菜だけでなく、主食や副菜に含まれるたんぱく質量も考えることがたいせつです。

表② 1日1800kcal、たんぱく質40ｇの場合の食品の目安量

○低たんぱく質ごはんの利用回数によって主菜や副菜のたんぱく質量が変わるので、回数ごとに食品の目安量を示しました。
○献立1食あたりのたんぱく質の目安量は、主食で1ｇ前後（栄養成分調整食品利用）、主菜で10ｇ前後、副菜で2ｇ前後、汁物などで1ｇ前後です。
○1日3食のたんぱく質の配分は、朝食10〜12ｇ、昼食10〜14ｇ、夕食12〜15ｇを目安に考えます。

分類	食品群	低たんぱく質ごはんの1日の利用回数ごとの目安量			
		3回	2回	1回	0回
主食	穀類・低たんぱく質ごはん※1	180ｇ×3食	180g×2食	180g×1食	0ｇ
	穀類・普通のごはん	0	180g×1食	180g×2食	180g×3食
主菜	卵	25〜50ｇ	25〜50ｇ	25ｇ	25ｇ
	肉	50ｇ	45ｇ	40ｇ	35ｇ
	魚介	50ｇ	50ｇ	40ｇ	30ｇ
	大豆・大豆製品※2	30〜40ｇ	30〜40ｇ	30〜40ｇ	30〜40ｇ
副菜	野菜	250〜300ｇ	250〜300ｇ	250〜300ｇ	250〜300ｇ
	きのこ・海藻	30ｇ	30ｇ	30ｇ	30ｇ
	芋	50ｇ	50ｇ	50ｇ	50ｇ
油脂		25ｇ	25ｇ	25ｇ	30ｇ
砂糖		20ｇ	20ｇ	20ｇ	20ｇ
でんぷんほか		20ｇ	20ｇ	20ｇ	20ｇ
牛乳・乳製品		80ｇ	80ｇ	80ｇ	80ｇ
果物		50〜100ｇ	50〜100ｇ	50〜100ｇ	50〜100ｇ
エネルギー補給のための菓子など※3		150kcal分	150kcal分	150kcal分	150kcal分

※1 低たんぱく質ごはんは1/35（1食180ｇあたりたんぱく質0.1ｇ）として算出。
※2 表中の重量は豆腐の場合。納豆や大豆（ゆで）の場合は20ｇ。
※3 腎臓病用の栄養成分調整食品のデザートやたんぱく質、塩分、カリウムなどが少ない菓子類。

●カリウムのとり方

　カリウムは腎臓病の症状によって制限されます。一般に血清カリウム値が上がる（5.5mEq/l 以上）と、心停止する危険もあるので1日1500mg以下の制限になります。

　カリウムは野菜や果物、芋などに多く含まれます。1日あたり野菜250～300g、芋40～50g、果物50～100gを目安量とし、カリウム制限が出た場合は少ない重量を目安にしましょう。また、カリウムは肉や魚介などのたんぱく質食品にも多く含まれるので、たんぱく質制限を守ることでカリウムもとりすぎが防げます。

　カリウムは調理のくふうで減らすことができます。水溶性なので食料を水にさらしたり、ゆでたりするとカリウムが水にとけ出します。食料を小さく切って表面積を大きくし、長く水にさらすほどカリウム量は減ります。蒸す、いためる、揚げる調理法ではカリウム量は減らないので、下ゆでしてから調理するとよいでしょう。

　食べるさいは、煮汁や果物缶詰のシロップにはカリウムがとけ出しているので、なるべく飲まないようにします。

表③カリウムが多く、特に気をつけたい食品

食品群	食品
野菜	生野菜、青菜類、根菜、枝豆などの豆類
果物	バナナ、メロン、キウイフルーツ、アボカド
芋	山芋類、里芋
乾物	ドライフルーツ、海藻類、ナッツ類
飲料	濃いコーヒー、緑茶（玉露）、ココア
健康食品	青汁

データページにもゆで調理後のカリウム量を記載しています

ゆで調理後のカリウム量は？

減少率が低いもの

グリーンアスパラガス

1本20g（正味15g）
カリウム **41mg**

↓

半分に切ってゆでると
カリウム **37mg**

8％減

かぶ

1個80g（正味70g）
カリウム **175mg**

↓

ゆでると
カリウム **156mg**

11％減

その他：さやいんげん2％減、かぼちゃ6％減、そら豆11％減など。

減少率が高いものは、いためたり揚げたりするときも下ゆでするのがおすすめです。

減少率が高いもの

小松菜
1株40g（正味35g）
カリウム **175mg**

ゆでると
カリウム **43mg**
75%減

ほうれん草
1株20g（正味18g）
カリウム **124mg**

ゆでると
カリウム **62mg**
50%減

大豆もやし
1袋200g（正味190g）
カリウム **304mg**

ゆでると
カリウム **81mg**
73%減

ブロッコリー
3房（正味45g）
カリウム **207mg**

小房に分けてゆでると
カリウム **105mg**
49%減

その他：切り干し大根90%減、菜の花57%減、玉ねぎ35%減、れんこん50%減など。

スイートコーンのカリウム量が増えるのはなぜ？

スイートコーンはゆでると重量が10%増えますが、カリウム量は変化しません。そのため計算上では、ゆでたあとのカリウム量が10%増えてしまうのです。

表④ 調理によるカリウムの減少率（野菜類、きのこ類）

		ゆで	その他の調理※
野菜類	花菜	64%	
	葉茎菜	54%	9%（水さらし）
	根菜	80%	41%（水さらし）
	果菜	86%	0%（焼き）
	未熟豆	70%	0%（電子レンジ）
	山菜	29%	
	乾燥野菜	14%	
きのこ類	生鮮	66%	
	乾燥	60%	4%（焼き）

※調べた食品は1種類である。

●リンのとり方

　リンは骨や歯を形成したり、エネルギーを作り出すのに必要です。通常とりすぎたリンは腎臓で濾過され尿中に排泄されますが、腎機能が低下しているとこの機能も働かず、血液中にリンが蓄積されて高リン血症になります。高リン血症は副甲状腺ホルモンの過剰分泌を招き、骨が弱くなったり、血管に石灰が沈着し、動脈硬化を促進します。

　リンはたんぱく質の多い食品に必ず多く含まれているので、たんぱく質制限をしっかり守っていれば心配ありません。また、カルシウムの多い食品（乳製品や骨ごと食べられる魚）にも多く含まれる傾向がありますが、それぞれの食品の摂取目安量を守っていれば大丈夫です。

表⑤リンを多く含む食品

食品群	食品
魚	ウナギのかば焼き、シシャモ、キンメダイ、イワシ、カツオ、ワカサギ
肉	牛レバー、豚レバー、鶏レバー、ボンレスハム、鶏ささ身
その他	プロセスチーズ、牛乳、玄米ごはん

●エネルギーのとり方

　たんぱく質の制限をしながら充分なエネルギー補給をすることが食事の基本です。たんぱく質の制限量をきちんと守っていても、エネルギーが不足するとたんぱく異化亢進状態になり、体内のたんぱく質を分解してエネルギーを作ろうとします。そうなるとむくみや貧血、体重減少、体力低下を招き、腎機能も悪化させます。これらを防ぐために充分なエネルギー摂取が必要になります。

　慢性腎臓病のガイドラインでは、性別、年齢、運動量を考慮してエネルギー必要量は 25〜35kcal/kg/日とされています。標準体重50kgでは1500〜1800kcal、60kgでは1800〜2000kcalが目安です。

　エネルギーの確保にはたんぱく質をほとんど含まない砂糖、油脂、でんぷん類などを活用しましょう。腎臓病用の栄養成分調整食品のゼリーや菓子類も間食にとり入れるとよいでしょう。

表⑥エネルギー確保に役立つ食品

食品群	食品
砂糖、甘味料	砂糖、ジャム、はちみつなど
油脂	各種の植物油、マヨネーズ、ドレッシングなど（ただし、ドレッシングは塩分に注意）
でんぷん食品	はるさめ、くずきり、かたくり粉、くず粉、タピオカなど
栄養成分調整食品	たんぱく質量を低く調整した穀類、ゼリー、菓子など。粉あめ、MCTパウダー（商品名）、MCTオイル（商品名）など

●その他の栄養素のとり方

脂質

　脂質は健康な人と同様に、1日のエネルギー量の20〜25％に相当する量が目安です。脂質は調理に使う油脂と魚介や肉の脂に由来します。調理に使う油脂はたんぱく質や塩分があるバターは使っても風味づけ程度にし、動脈硬化予防に働くオレイン酸の豊富なオリーブ油を中心に、菜種油、ごま油などを使いましょう。目安量は1日20g（大さじ2弱）程度です。エネルギー確保のため、いため物や揚げ物などを1日1品入れるようにします。魚介は青背魚の脂質に動脈硬化予防が期待できる不飽和脂肪酸が含まれるため、1日分50gを目安にとりましょう。肉は血中コレステロールを上げる飽和脂肪酸が多いので、魚介より少ない1日分40gを目安にします。油を使った料理が苦手でエネルギー不足になりやすい場合は、消化吸収がよく、エネルギーになりやすいMCT（中鎖脂肪酸）製品を利用してもよいでしょう。

炭水化物

　炭水化物は穀類、芋類、果物、砂糖などから摂取します。腎臓病の場合はたんぱく質制限が必要ですが、魚介や肉などをある程度確保したい場合、主食の米やパン、めんなどを低たんぱく質食品におきかえるのも一つの方法です。加えてカリウム制限がある場合は、芋類50g、果物100g程度を1日分の目安にします。

　砂糖はたんぱく質ゼロでカリウムやリンもごくわずか。エネルギー確保に重宝する食品ですが、とりすぎは血糖値や中性脂肪値を上げるので、1日20g（大さじ2強）が目安です。ただし、黒砂糖はカリウムが多いので要注意です。

　砂糖に代わるエネルギー源として、でんぷん糖があります。エネルギーは砂糖とほぼ同じですが、甘味は1/10〜1/3と低いので、デザートや飲み物に多めに加えてエネルギー確保に利用しましょう。

カルシウム

　カルシウムは牛乳・乳製品、大豆・大豆製品、小魚、青菜類などが摂取源ですが、いずれもたんぱく質を多く含む食品なので、たんぱく質制限の目安に従ってとりましょう。カルシウム不足が気になる場合は、腎臓病用の栄養成分調整食品で低塩・低たんぱく質でカルシウムが添加されたふりかけや菓子（せんべいやクッキーなど）があるので、とり入れてみるのもよいでしょう。

鉄

　慢性腎臓病の多くの人で貧血の合併が見られます。原因の一つに腎臓でつくられるエリスロポエチンという赤血球の生成を促進するホルモンが少なくなることがあります。このような腎性貧血の場合は薬剤が用いられることが多いのですが、食事で鉄を補う努力も必要です。赤身の肉や魚は高たんぱく質で食べてよい量が限られますが、鉄が豊富です。また鉄が添加された栄養成分調整食品もあるので、活用するのもよいでしょう。

・栄養成分調整食品の利用についてはかかりつけの医師や管理栄養士にご相談ください。

本書の使い方

　腎臓病にかかっている人は年々増えており、日本人だけでも1330万人、成人の8人に1人に達しています（日本腎臓学会編『CKD診療ガイド2012』より）。本書4㌻の説明にあるように、腎臓病は進行すればいずれ透析に、さらには腎移植も必要になる疾患です。できるだけ腎臓に負担をかけないように、塩分やたんぱく質、カリウム、リン、エネルギーなどの栄養管理を行なうことがたいせつです。
　この本では、腎臓病のかたが食材や料理選びに役立つように、ふだんよく食べるものに塩分やたんぱく質、カリウム、リン、エネルギーなどがどのくらい含まれているか、わかりやすく紹介してあります。
　「食品選び早わかり」（19～158㌻）では、日常的によく食べる食品約770品について、塩分をはじめとした栄養データを写真とともに紹介します。どれも1枚、1本、1切れなどわかりやすい量を基準としているので、めんどうな計算は必要ありません。
　「外食選び早わかり」（159～183㌻）では、外食するときに役立つように、人気メニューの栄養データと、塩分やたんぱく質、カリウム、リンを減らしたいときに、何をどれだけ食べたらよいか、控えたらよいか、わかりやすくアドバイスします。
　塩分やたんぱく質、カリウム、リンなどを制限されたからと単純に減らしてしまっては食事の楽しみもなくなり、栄養のバランスも崩れて体調をこわしてしまいます。何をどれだけ食べられるか知るために、本書を活用してください。

おことわり

　アドバイスの基本となっている設定は、「1日あたりたんぱく質40ｇ、塩分6ｇ未満」の場合です。アドバイスに記載の1回量の目安についてはこの設定の場合のものです。カリウムやリンについては特に設定していませんが、制限のあるかた向けにアドバイスを加えました。医師や管理栄養士によって指導内容も異なりますので、あくまで目安としてとらえてください。

食品選び早わかり

　腎臓病の食事管理に役立つように、日常よく食べる食品の塩分やたんぱく質、カリウム、エネルギーなどの値を示しました。

　食品の並び順は、献立を立てるさいに使いやすいように「主菜になるもの」「副菜になるもの」「主食になるもの」「調味料」などに分けてあります。本書7ページに紹介した表「1日1800kcal、たんぱく質40gの場合の食品の目安量」に対応しています。

　たんぱく質量に注目したい食品については、食材選びの参考になるように「たんぱく質5g分の重量」を算出し、野菜をはじめゆでることでカリウム量が変化するものについては、調理後の値も記載しました。

　また、腎臓病のかたにおすすめの市販食品（栄養成分調整食品）についてもメーカーの協力を得て掲載しました。メーカー提供の商品写真と栄養データについては、2022年8月に最終確認したものです。

　データの作成にあたっては、文部科学省科学技術・学術審議会資源調査分科会『日本食品標準成分表2020年版（八訂）』（以下、『成分表2020年版（八訂）』）に記載のあるものはその資料から、ないものについてはその他の資料や撮影で使用した食品のパッケージ記載のデータ、さらにはそれに近いと考えられるデータを参考にして算出してあります。

　いずれの食品も産地や季節、あるいはメーカーによって栄養データは多少異なります。傾向を知る手がかりとして利用してください。

外食選び早わかり

　腎臓病のかたが外食するときに役立つように、人気メニューの塩分やたんぱく質、カリウムなどの値を算出しました。

　「外食アドバイス」（160～175ページ）では、外食の人気メニューの栄養データを材料別に詳細に算出し、食べる量の調整ができるようにアドバイスを加えました。「塩分を控えるには何を減らす？何を食べる？」「たんぱく質を控えるには何を減らす？何を食べる？」「カリウムを控えるには何を減らす？何を食べる？」「リンを控えるには何を減らす？何を食べる？」と目的別に何を減らしたらよいか、何を食べたらよいかわかります。最低限必要な栄養素は確保したうえで、量の調整の仕方ができるので、安心して外食を楽しめます。

　「外食カタログ」（176～183ページ）には、カテゴリごとに人気メニューの栄養データを紹介しました。データの見方は、「食品選び早わかり」と同様です。

　外食のデータ作成にあたっては、『成分表2020年版（八訂）』をもとに、一般的な外食メニューを参考にして材料表から栄養価を算出しました。店によって内容は異なりますので、掲載したメニューのデータは傾向を知る手がかりとしてください。

＊参考資料
『日本食品標準成分表2020年版（八訂）』文部科学省科学技術・学術審議会資源調査分科会
『部位別実用ミート・マニュアル』財団法人日本食肉消費総合センター（平成7年度刊）
『調理のためのベーシックデータ　第6版』女子栄養大学出版部

データの見方

- ●食品選び早わかり（20～158ページ）
- ●外食カタログ（176～183ページ）

●外食アドバイス（160～175ページ）

No.	材料名・重量（概量）	塩分	たんぱく質	カリウム	リン	エネルギー
1	そば・ゆで　180g	0g	7.0g	61mg	144mg	234kcal
2	つゆ（めんつゆストレート120mL＋水240mL）	4.0g	2.4g	120mg	58mg	53kcal
3	ねぎ　10g	0g	0.1g	20mg	3mg	4kcal
4	一味とうがらし　少量	0g	0g	1mg	微量	微量

◆ 数値の表記法

　数値の表示桁は『食品成分表』にならって、表示桁に満たないものは四捨五入して記載しました。ただし、栄養成分調整食品でメーカーから提供されたものは、提供されたデータの表示桁で記載してあります。

　なお、「0」「微量」「未測定」の表記は、以下の基準によります。

「0」
まったく含まれていないか、『食品成分表』の表示基準の最小記載量の1/10に満たなかったもの。

「微量」
『食品成分表』の表示基準の最小記載量の1/10以上は含まれているが、5/10未満であるもの。

「未測定」（データ不明）
参考となる資料がなく、含まれているかどうかわからないかデータの算出ができなかったもの。メーカー提供の商品については、データ提供されなかったもの。

①食品名または商品名、材料名
　食品名は一般的と思われる名称を採用しました。栄養成分調整食品などメーカーから提供のあった商品は、その商品名を記載してあります。

②重量、概量
　写真で紹介した量を示しています。食品によっては大きさや量の目安をつけやすいように、概量を併記してあります。魚や野菜など、廃棄部分を含んだ写真の場合には、廃棄部分を除いた正味重量も記載しました。

③メーカー名、ブランド名
　栄養成分調整食品で、メーカーからデータ提供された商品について、そのメーカー名やブランド名を記載しました。

④塩分（食塩相当量）
　食塩、しょうゆなどの調味料からの塩分と食品そのものに含まれている食塩相当量（ナトリウムなどに由来するもの）を合わせた数値です（6ページ参照）。

⑤たんぱく質
　筋肉や血液などを作るたいせつな栄養素です（7ページ参照）。ここでは「アミノ酸組成によるたんぱく質」の数値を示します。『成分表2020年版（八訂）』に掲載がないものは「たんぱく質」の数値です。

⑥カリウム
　カリウムは体内で細胞液中にナトリウムとバランスをとりながら存在して、細胞の機能を支えるたいせつなミネラルですが、腎臓病で血清カリウム値が高くなるとカリウム制限が必要になります（8ページ参照）。

⑦リン
　リンは細胞を構成したりエネルギーを作り出すのに必要な栄養素ですが、腎機能が低下すると余分なリンが排泄できなくなります（10ページ参照）。

⑧脂質
　1g＝9kcalとエネルギーが高い栄養素です（11ページ参照）。ここでは「脂肪酸のトリアシルグリセロール当量」の数値を示します。『成分表2020年版（八訂）』に掲載がないものは「脂質」の数値です。

⑨炭水化物
　エネルギー源として速やかに利用できる栄養素です（11ページ参照）。ここでは「利用可能炭水化物」の数値を示します。利用可能炭水化物（単糖当量）にアスタリスク（＊）があるものは「利用可能炭水化物（質量計）」、ないものは「差し引き法による利用可能炭水化物」の数値です。

⑩エネルギー
　生命、体温の維持、体を動かすことなどに欠かすことができないものです。腎臓病の人は、たんぱく質を制限することでエネルギー不足に陥りやすいため、意識的に補う必要があります（10ページ参照）。

⑪ゆで調理後のカリウム量
　ゆで調理後のカリウムの値がわかるものについて、調理による重量変化も考慮したカリウム量を記載しました。ゆでる前の生の状態と比較したカリウム減少率（％）も併記してあります。

⑫たんぱく質5g分の重量
　たんぱく質に注目して選びたい食品群について、写真で示した食品重量とは別にたんぱく質5g分の食品重量（食品100gあたりのたんぱく質量から算出）を記載しました。この重量が少ないものほど、高たんぱく質食品といえます。たんぱく質制限にあわせて献立を考えるさいに活用してください。

⑬欄外備考
　一部の食品について、重量や栄養データの詳細、廃棄率※など、あると便利なデータを記載しました。
※廃棄率…魚介や卵、野菜などを実際に調理するさいに除く部分、骨や皮などの重量比率（％）のことです。

食事療法には欠かせません
計量カップ・スプーン

おいしく減塩するためには「計量」がたいせつです。
計量カップ・スプーンは、調味料など少量のものを計るのにとても便利です。

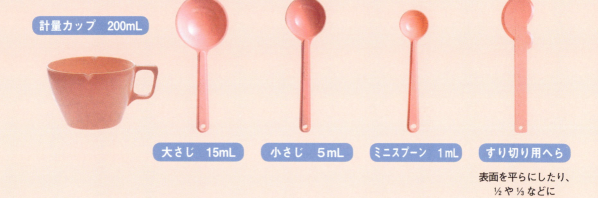

計量カップ 200mL

大さじ 15mL

小さじ 5mL

ミニスプーン 1mL

すり切り用へら
表面を平らにしたり、½や⅓などに計り分ける道具

液体を計るとき

しょうゆや油など液状のものは、表面張力で液体が盛り上がるくらいに、内径を満たすように計ります。

カップ

カップを平らなところに置き、表面が盛り上がるくらいまで液体を注ぎ入れる。½カップの場合は、カップの内側にある目盛りの100mLの線まで注ぎ入れる。⅓カップは約70mLまで、⅔カップは約140mLのところまで注ぎ入れる。

大さじ、小さじ、ミニスプーン

大さじ1、小さじ1、ミニスプーン1のときは、スプーンを水平に持ち、表面張力で表面が盛り上がるまで液体を注ぎ入れる。

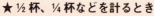

★ ½杯、¼杯などを計るとき
大さじ½、小さじ½、ミニスプーン½のときは、深さ⅔まで注ぎ入れると、ほぼ½の量になる（スプーンの底の部分がつぼんでいるので、深さの半分よりも心持ち多めに入れる）。

計量カップ・スプーンは、女子栄養大学代理部・サムシング（☎ 03-3949-9371）でとり扱っています。

\\\\ 粉末を計るとき ////

小麦粉や砂糖、塩などの粉状のものは、ふんわりと盛って、すり切り用へらを使って計ります。

大さじ、小さじ、ミニスプーン

大さじ1、小さじ1、ミニスプーン1を計るときは、まずふんわりと山盛りにすくい、すり切り用へらの柄の部分を垂直に立てて、端から平らにすり切る。

★ ½杯、¼杯などを計るとき

½杯を計るときは、1杯を計ってからすり切り用へらの曲線部分を真ん中に垂直に立てて、半分を払い除く。¼杯を計るときは、さらにその半分を同様にして払い除く。⅓杯、⅔杯は1杯の表面に目安の線をつけて不要な部分を払い除く。

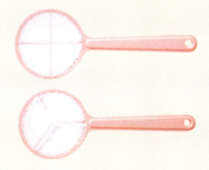

★よくない計り方の例

へらを寝かせてすり切ったり、何分の1かを払い除くときにスプーンのくぼみに合わない曲線部分で払ったりすると正確に計れない。

標準計量カップ・スプーンによる重量一覧（g）実測値

食品名	小さじ (5mL)	大さじ (15mL)	1カップ (200mL)
水・酒・酢	5	15	200
あら塩（並塩）	5	15	180
食塩・精製塩	6	18	240
しょうゆ（濃い口・うす口）	6	18	230
みそ（淡色辛みそ）	6	18	230
みそ（赤色辛みそ）	6	18	230
みりん	6	18	230
砂糖（上白糖）	3	9	130
グラニュー糖	4	12	180
はちみつ	7	21	280
メープルシロップ	7	21	280
ジャム	7	21	250
油・バター	4	12	180
ラード	4	12	170
ショートニング	4	12	160
生クリーム	5	15	200
マヨネーズ	4	12	190
ドレッシング	5	15	—
牛乳（普通牛乳）	5	15	210
ヨーグルト	5	15	210
脱脂粉乳	2	6	90
粉チーズ	2	6	90
トマトピュレ	6	18	230
トマトケチャップ	6	18	240
ウスターソース	6	18	240
中濃ソース	7	21	250
わさび（練り）	5	15	—
からし（練り）	5	15	—
粒マスタード	5	15	—
カレー粉	2	6	—
豆板醤・甜麺醤	7	21	—
コチュジャン	7	21	—
オイスターソース	6	18	—
ナンプラー	6	18	—
めんつゆ（ストレート）	6	18	230
めんつゆ（3倍希釈）	7	21	240
ポン酢しょうゆ	6	18	—
焼き肉のたれ	6	18	—
顆粒だしのもと（和洋中）	3	9	—
小麦粉（薄力粉・強力粉）	3	9	110
小麦粉（全粒粉）	3	9	100
米粉	3	9	100
かたくり粉	3	9	130
上新粉	3	9	130
コーンスターチ	2	6	100
ベーキングパウダー	4	12	—
重曹	4	12	—
パン粉・生パン粉	1	3	40
すりごま	2	6	—
いりごま	2	6	—
練りごま	6	18	—
粉ゼラチン	3	9	—
煎茶・番茶・紅茶（茶葉）	2	6	—
抹茶	2	6	—
レギュラーコーヒー	2	6	—
ココア（純ココア）	2	6	—
米（胚芽精米・精白米・玄米）	—	—	170
米（もち米）	—	—	175
米（無洗米）	—	—	180

2017年1月改訂

- ●あら塩（並塩）　ミニスプーン（1mL）＝1.0g
- ●食塩・精製塩　ミニスプーン（1mL）＝1.2g
- ●しょうゆ　ミニスプーン（1mL）＝1.2g
- ●胚芽精米・精白米・玄米1合（180mL）＝150g
- ●もち米1合（180mL）＝155g
- ●無洗米1合（180mL）＝160g

食品選び早わかり

主菜になるもの

食事の主役となるたんぱく質量の多い食品です。
塩分も多く含む食品もあり、食べる量に注意が必要です。
制限があるからと量を減らしすぎると見た目にさびしくなるだけでなく、
エネルギー不足になってしまいます。
たんぱく質や塩分の量に注目して、食品を選びましょう。

切り身魚

たんぱく質10gを目安に食べる量の調整を

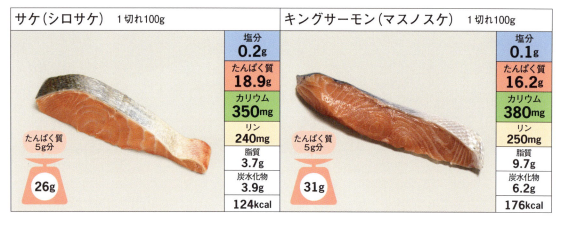

サケ（シロサケ）　1切れ100g
- たんぱく質5g分：26g
- 塩分 0.2g
- たんぱく質 18.9g
- カリウム 350mg
- リン 240mg
- 脂質 3.7g
- 炭水化物 3.9g
- 124kcal

キングサーモン（マスノスケ）　1切れ100g
- たんぱく質5g分：31g
- 塩分 0.1g
- たんぱく質 16.2g
- カリウム 380mg
- リン 250mg
- 脂質 9.7g
- 炭水化物 6.2g
- 176kcal

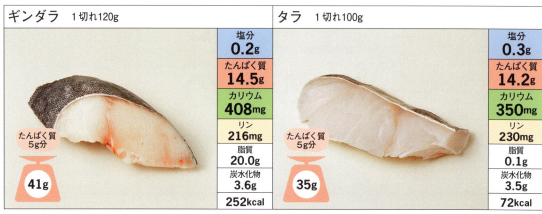

ギンダラ　1切れ120g
- たんぱく質5g分：41g
- 塩分 0.2g
- たんぱく質 14.5g
- カリウム 408mg
- リン 216mg
- 脂質 20.0g
- 炭水化物 3.6g
- 252kcal

タラ　1切れ100g
- たんぱく質5g分：35g
- 塩分 0.3g
- たんぱく質 14.2g
- カリウム 350mg
- リン 230mg
- 脂質 0.1g
- 炭水化物 3.5g
- 72kcal

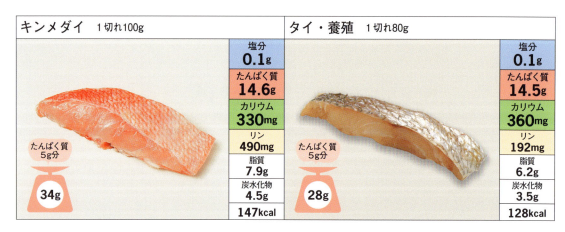

キンメダイ　1切れ100g
- たんぱく質5g分：34g
- 塩分 0.1g
- たんぱく質 14.6g
- カリウム 330mg
- リン 490mg
- 脂質 7.9g
- 炭水化物 4.5g
- 147kcal

タイ・養殖　1切れ80g
- たんぱく質5g分：28g
- 塩分 0.1g
- たんぱく質 14.5g
- カリウム 360mg
- リン 192mg
- 脂質 6.2g
- 炭水化物 3.5g
- 128kcal

主菜になるもの ◎魚（切り身魚）

1食分の適量は約50g、たんぱく質量にして10g前後が目安。青背魚、赤身魚、白身魚を偏りなく選びましょう。

主菜になるもの ◎ 魚（切り身魚）

ブリ・天然　1切れ80g
- 塩分 0.1g
- たんぱく質 14.9g
- カリウム 304mg
- リン 104mg
- 脂質 10.5g
- 炭水化物 6.2g
- 178kcal
- たんぱく質5g分 27g

サバ　1切れ80g
- 塩分 0.2g
- たんぱく質 14.2g
- カリウム 264mg
- リン 176mg
- 脂質 10.2g
- 炭水化物 5.0g
- 169kcal
- たんぱく質5g分 28g

サワラ　1切れ80g
- 塩分 0.2g
- たんぱく質 14.4g
- カリウム 392mg
- リン 176mg
- 脂質 6.7g
- 炭水化物 2.8g
- 129kcal
- たんぱく質5g分 28g

子持ちガレイ　1切れ120g
- 塩分 0.2g
- たんぱく質 23.9g
- カリウム 348mg
- リン 240mg
- 脂質 5.8g
- 炭水化物 0.1g
- 148kcal
- たんぱく質5g分 25g

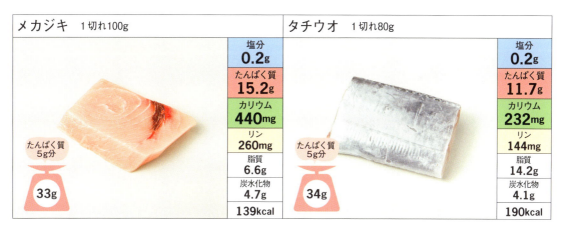

メカジキ　1切れ100g
- 塩分 0.2g
- たんぱく質 15.2g
- カリウム 440mg
- リン 260mg
- 脂質 6.6g
- 炭水化物 4.7g
- 139kcal
- たんぱく質5g分 33g

タチウオ　1切れ80g
- 塩分 0.2g
- たんぱく質 11.7g
- カリウム 232mg
- リン 144mg
- 脂質 14.2g
- 炭水化物 4.1g
- 190kcal
- たんぱく質5g分 34g

主菜になるもの ○魚(一尾魚)

一尾魚

購入のさいは廃棄分(骨、内臓など)を考えましょう

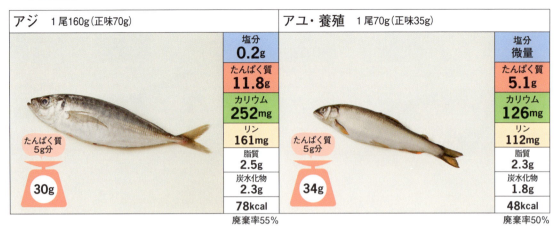

アジ　1尾160g(正味70g)
- 塩分 0.2g
- たんぱく質 11.8g
- カリウム 252mg
- リン 161mg
- 脂質 2.5g
- 炭水化物 2.3g
- 78kcal
- たんぱく質5g分 30g
- 廃棄率55%

アユ・養殖　1尾70g(正味35g)
- 塩分 微量
- たんぱく質 5.1g
- カリウム 126mg
- リン 112mg
- 脂質 2.3g
- 炭水化物 1.8g
- 48kcal
- たんぱく質5g分 34g
- 廃棄率50%

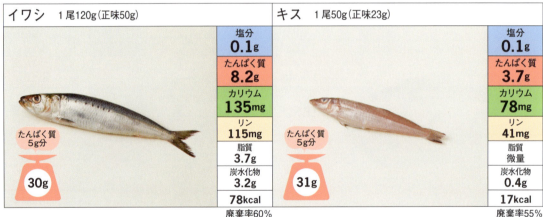

イワシ　1尾120g(正味50g)
- 塩分 0.1g
- たんぱく質 8.2g
- カリウム 135mg
- リン 115mg
- 脂質 3.7g
- 炭水化物 3.2g
- 78kcal
- たんぱく質5g分 30g
- 廃棄率60%

キス　1尾50g(正味23g)
- 塩分 0.1g
- たんぱく質 3.7g
- カリウム 78mg
- リン 41mg
- 脂質 微量
- 炭水化物 0.4g
- 17kcal
- たんぱく質5g分 31g
- 廃棄率55%

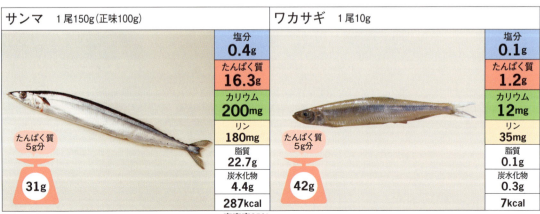

サンマ　1尾150g(正味100g)
- 塩分 0.4g
- たんぱく質 16.3g
- カリウム 200mg
- リン 180mg
- 脂質 22.7g
- 炭水化物 4.4g
- 287kcal
- たんぱく質5g分 31g
- 廃棄率35%

ワカサギ　1尾10g
- 塩分 0.1g
- たんぱく質 1.2g
- カリウム 12mg
- リン 35mg
- 脂質 0.1g
- 炭水化物 0.3g
- 7kcal
- たんぱく質5g分 42g

青背魚の不飽和脂肪酸は動脈硬化予防に働きます。ただ、丸干しなど加工品は塩分が多いので、食べる量に注意しましょう。

主菜になるもの ◎ 魚（一尾魚）

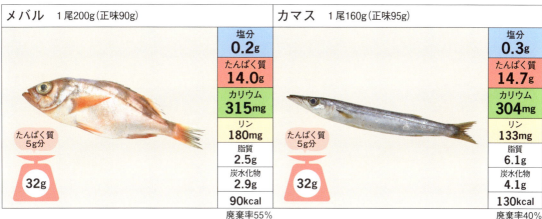

メバル　1尾200g（正味90g）
塩分 0.2g
たんぱく質 14.0g
カリウム 315mg
リン 180mg
脂質 2.5g
炭水化物 2.9g
90kcal
たんぱく質5g分 32g
廃棄率55%

カマス　1尾160g（正味95g）
塩分 0.3g
たんぱく質 14.7g
カリウム 304mg
リン 133mg
脂質 6.1g
炭水化物 4.1g
130kcal
たんぱく質5g分 32g
廃棄率40%

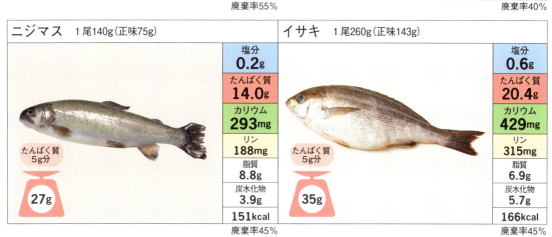

ニジマス　1尾140g（正味75g）
塩分 0.2g
たんぱく質 14.0g
カリウム 293mg
リン 188mg
脂質 8.8g
炭水化物 3.9g
151kcal
たんぱく質5g分 27g
廃棄率45%

イサキ　1尾260g（正味143g）
塩分 0.6g
たんぱく質 20.4g
カリウム 429mg
リン 315mg
脂質 6.9g
炭水化物 5.7g
166kcal
たんぱく質5g分 35g
廃棄率45%

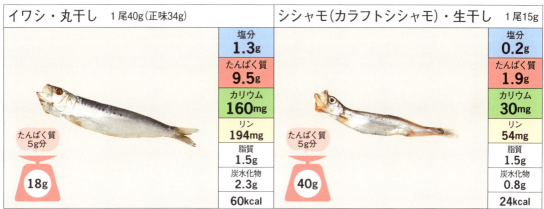

イワシ・丸干し　1尾40g（正味34g）
塩分 1.3g
たんぱく質 9.5g
カリウム 160mg
リン 194mg
脂質 1.5g
炭水化物 2.3g
60kcal
たんぱく質5g分 18g
廃棄率15%

シシャモ（カラフトシシャモ）・生干し　1尾15g
塩分 0.2g
たんぱく質 1.9g
カリウム 30mg
リン 54mg
脂質 1.5g
炭水化物 0.8g
24kcal
たんぱく質5g分 40g

干物・漬け魚

いずれも生魚に比べて塩分が多い

アジ・開き干し　1枚130g（正味85g）
- たんぱく質5g分：29g
- 塩分 1.4g
- たんぱく質 14.6g
- カリウム 264mg
- リン 187mg
- 脂質 5.7g
- 炭水化物 4.5g
- 128kcal
- 廃棄率35%

身欠きニシン　1本40g（正味36g）
- たんぱく質5g分：28g
- 塩分 0.1g
- たんぱく質 6.4g
- カリウム 155mg
- リン 104mg
- 脂質 5.3g
- 炭水化物 1.9g
- 81kcal
- 廃棄率9%

ホッケ・開き干し　1枚300g（正味195g）
- たんぱく質5g分：28g
- 塩分 3.5g
- たんぱく質 35.1g
- カリウム 761mg
- リン 644mg
- 脂質 16.2g
- 炭水化物 7.2g
- 314kcal
- 廃棄率35%

サバ・塩サバ　半身1枚140g
- たんぱく質5g分：22g
- 塩分 2.5g
- たんぱく質 31.9g
- カリウム 420mg
- リン 280mg
- 脂質 22.8g
- 炭水化物 8.8g
- 368kcal

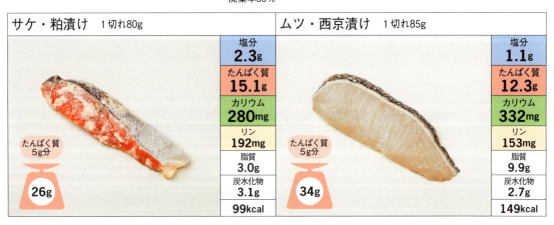

サケ・粕漬け　1切れ80g
- たんぱく質5g分：26g
- 塩分 2.3g
- たんぱく質 15.1g
- カリウム 280mg
- リン 192mg
- 脂質 3.0g
- 炭水化物 3.1g
- 99kcal

ムツ・西京漬け　1切れ85g
- たんぱく質5g分：34g
- 塩分 1.1g
- たんぱく質 12.3g
- カリウム 332mg
- リン 153mg
- 脂質 9.9g
- 炭水化物 2.7g
- 149kcal

主菜になるもの ◎魚（干物・漬け魚）

干物や漬け魚などの加工品は生魚よりも塩分が多いので、制限されている場合はなるべく控えましょう。

主菜になるもの ◎ 魚（干物・漬け魚）

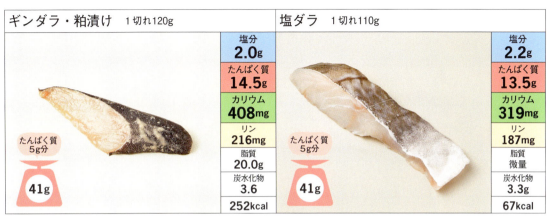

ギンダラ・粕漬け　1切れ120g
- たんぱく質5g分：41g
- 塩分 2.0g
- たんぱく質 14.5g
- カリウム 408mg
- リン 216mg
- 脂質 20.0g
- 炭水化物 3.6
- 252kcal

塩ダラ　1切れ110g
- たんぱく質5g分：41g
- 塩分 2.2g
- たんぱく質 13.5g
- カリウム 319mg
- リン 187mg
- 脂質 微量
- 炭水化物 3.3
- 67kcal

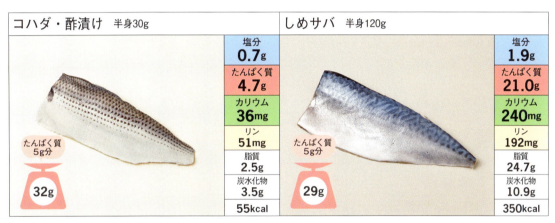

コハダ・酢漬け　半身30g
- たんぱく質5g分：32g
- 塩分 0.7g
- たんぱく質 4.7g
- カリウム 36mg
- リン 51mg
- 脂質 2.5g
- 炭水化物 3.5g
- 55kcal

しめサバ　半身120g
- たんぱく質5g分：29g
- 塩分 1.9g
- たんぱく質 21.0g
- カリウム 240mg
- リン 192mg
- 脂質 24.7g
- 炭水化物 10.9g
- 350kcal

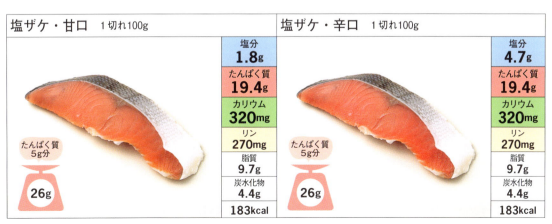

塩ザケ・甘口　1切れ100g
- たんぱく質5g分：26g
- 塩分 1.8g
- たんぱく質 19.4g
- カリウム 320mg
- リン 270mg
- 脂質 9.7g
- 炭水化物 4.4g
- 183kcal

塩ザケ・辛口　1切れ100g
- たんぱく質5g分：26g
- 塩分 4.7g
- たんぱく質 19.4g
- カリウム 320mg
- リン 270mg
- 脂質 9.7g
- 炭水化物 4.4g
- 183kcal

刺し身

刺し身は1切れ15g前後なので1食3〜4切れが目安

アジ　4切れ60g
- たんぱく質5g分：30g
- 塩分 0.2g
- たんぱく質 9.9g
- カリウム 216mg
- リン 132mg
- 脂質 1.8g
- 炭水化物 2.2g
- 65kcal

カツオ・秋どり　3切れ60g
- たんぱく質5g分：24g
- 塩分 0.1g
- たんぱく質 12.3g
- カリウム 228mg
- リン 156mg
- 脂質 2.9g
- 炭水化物 3.6g
- 90kcal

春どりの場合は塩分0.1g、たんぱく質12.4g、カリウム258mg

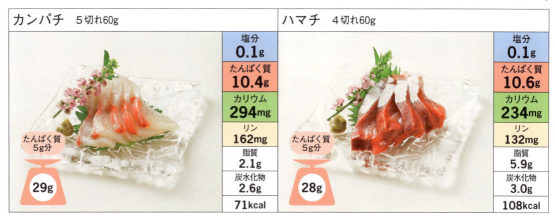

カンパチ　5切れ60g
- たんぱく質5g分：29g
- 塩分 0.1g
- たんぱく質 10.4g
- カリウム 294mg
- リン 162mg
- 脂質 2.1g
- 炭水化物 2.6g
- 71kcal

ハマチ　4切れ60g
- たんぱく質5g分：28g
- 塩分 0.1g
- たんぱく質 10.6g
- カリウム 234mg
- リン 132mg
- 脂質 5.9g
- 炭水化物 3.0g
- 108kcal

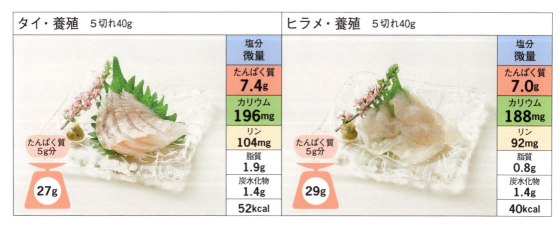

タイ・養殖　5切れ40g
- たんぱく質5g分：27g
- 塩分 微量
- たんぱく質 7.4g
- カリウム 196mg
- リン 104mg
- 脂質 1.9g
- 炭水化物 1.4g
- 52kcal

ヒラメ・養殖　5切れ40g
- たんぱく質5g分：29g
- 塩分 微量
- たんぱく質 7.0g
- カリウム 188mg
- リン 92mg
- 脂質 0.8g
- 炭水化物 1.4g
- 40kcal

赤身のマグロ、カツオは高たんぱく質なので控えめに。アマエビ、アカガイなど低たんぱく質の魚介と組み合わせましょう。

主菜になるもの ◎魚（刺し身）

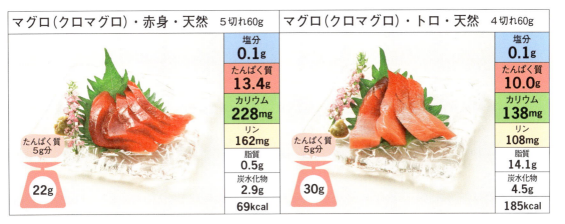

マグロ（クロマグロ）・赤身・天然 5切れ60g	マグロ（クロマグロ）・トロ・天然 4切れ60g
たんぱく質5g分 22g	たんぱく質5g分 30g
塩分 0.1g / たんぱく質 13.4g / カリウム 228mg / リン 162mg / 脂質 0.5g / 炭水化物 2.9g / 69kcal	塩分 0.1g / たんぱく質 10.0g / カリウム 138mg / リン 108mg / 脂質 14.1g / 炭水化物 4.5g / 185kcal

アマエビ 5尾25g（正味23g）	イカ 40g
たんぱく質5g分 33g	たんぱく質5g分 37g
塩分 0.2g / たんぱく質 3.5g / カリウム 71mg / リン 55mg / 脂質 0.2g / 炭水化物 1.0g / 20kcal	塩分 0.2g / たんぱく質 5.4g / カリウム 120mg / リン 100mg / 脂質 0.1g / 炭水化物 1.9g / 30kcal

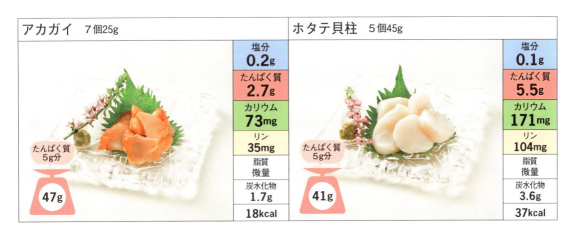

アカガイ 7個25g	ホタテ貝柱 5個45g
たんぱく質5g分 47g	たんぱく質5g分 41g
塩分 0.2g / たんぱく質 2.7g / カリウム 73mg / リン 35mg / 脂質 微量 / 炭水化物 1.7g / 18kcal	塩分 0.1g / たんぱく質 5.5g / カリウム 171mg / リン 104mg / 脂質 微量 / 炭水化物 3.6g / 37kcal

マグロ・魚卵など

脂身の多い部位は低たんぱく質

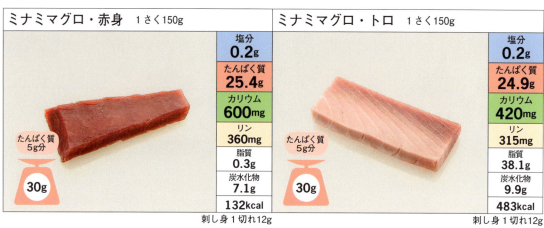

ミナミマグロ・赤身　1さく150g
- 塩分 0.2g
- たんぱく質 25.4g
- カリウム 600mg
- リン 360mg
- 脂質 0.3g
- 炭水化物 7.1g
- 132kcal
- たんぱく質5g分 30g
- 刺し身1切れ12g

ミナミマグロ・トロ　1さく150g
- 塩分 0.2g
- たんぱく質 24.9g
- カリウム 420mg
- リン 315mg
- 脂質 38.1g
- 炭水化物 9.9g
- 483kcal
- たんぱく質5g分 30g
- 刺し身1切れ12g

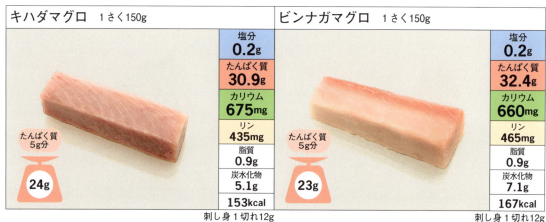

キハダマグロ　1さく150g
- 塩分 0.2g
- たんぱく質 30.9g
- カリウム 675mg
- リン 435mg
- 脂質 0.9g
- 炭水化物 5.1g
- 153kcal
- たんぱく質5g分 24g
- 刺し身1切れ12g

ビンナガマグロ　1さく150g
- 塩分 0.2g
- たんぱく質 32.4g
- カリウム 660mg
- リン 465mg
- 脂質 0.9g
- 炭水化物 7.1g
- 167kcal
- たんぱく質5g分 23g
- 刺し身1切れ12g

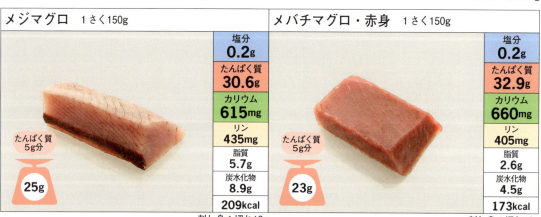

メジマグロ　1さく150g
- 塩分 0.2g
- たんぱく質 30.6g
- カリウム 615mg
- リン 435mg
- 脂質 5.7g
- 炭水化物 8.9g
- 209kcal
- たんぱく質5g分 25g
- 刺し身1切れ12g

メバチマグロ・赤身　1さく150g
- 塩分 0.2g
- たんぱく質 32.9g
- カリウム 660mg
- リン 405mg
- 脂質 2.6g
- 炭水化物 4.5g
- 173kcal
- たんぱく質5g分 23g
- 刺し身1切れ12g

主菜になるもの ◎魚（マグロ・魚卵など）

魚卵は少量でもいずれも高たんぱく質、高塩分。それを生かして少量を味つけに使ったり、ときどき楽しむ程度に。

主菜になるもの ◎ 魚（マグロ・魚卵など）

タラコ 小1腹50g

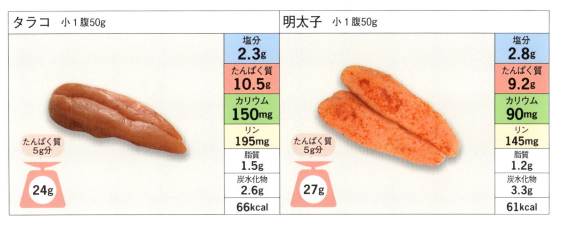

たんぱく質5g分 24g

- 塩分 2.3g
- たんぱく質 10.5g
- カリウム 150mg
- リン 195mg
- 脂質 1.5g
- 炭水化物 2.6g
- 66kcal

明太子 小1腹50g

たんぱく質5g分 27g

- 塩分 2.8g
- たんぱく質 9.2g
- カリウム 90mg
- リン 145mg
- 脂質 1.2g
- 炭水化物 3.3g
- 61kcal

イクラ 大さじ1（18g）

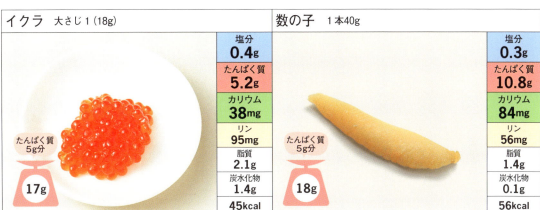

たんぱく質5g分 17g

- 塩分 0.4g
- たんぱく質 5.2g
- カリウム 38mg
- リン 95mg
- 脂質 2.1g
- 炭水化物 1.4g
- 45kcal

数の子 1本40g

たんぱく質5g分 18g

- 塩分 0.3g
- たんぱく質 10.8g
- カリウム 84mg
- リン 56mg
- 脂質 1.4g
- 炭水化物 0.1g
- 56kcal

ウニ 1枚3g

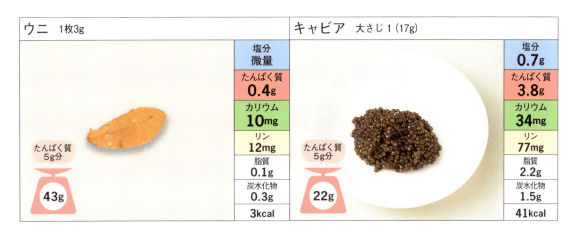

たんぱく質5g分 43g

- 塩分 微量
- たんぱく質 0.4g
- カリウム 10mg
- リン 12mg
- 脂質 0.1g
- 炭水化物 0.3g
- 3kcal

キャビア 大さじ1（17g）

たんぱく質5g分 22g

- 塩分 0.7g
- たんぱく質 3.8g
- カリウム 34mg
- リン 77mg
- 脂質 2.2g
- 炭水化物 1.5g
- 41kcal

貝

主菜になるもの ◎魚（貝）

貝殻ごと調理するものは見ためのボリュームもあります

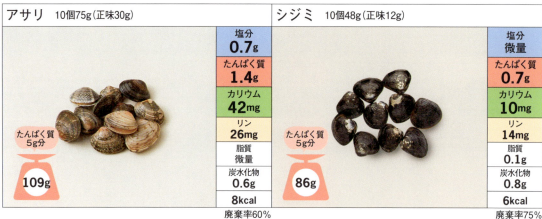

アサリ　10個75g（正味30g）
- たんぱく質5g分：109g
- 塩分 0.7g
- たんぱく質 1.4g
- カリウム 42mg
- リン 26mg
- 脂質 微量
- 炭水化物 0.6g
- 8kcal
- 廃棄率60%

シジミ　10個48g（正味12g）
- たんぱく質5g分：86g
- 塩分 微量
- たんぱく質 0.7g
- カリウム 10mg
- リン 14mg
- 脂質 0.1g
- 炭水化物 0.8g
- 6kcal
- 廃棄率75%

ハマグリ　1個45g（正味18g）
- たんぱく質5g分：111g
- 塩分 0.4g
- たんぱく質 0.8g
- カリウム 29mg
- リン 17mg
- 脂質 0.1g
- 炭水化物 0.7g
- 6kcal
- 廃棄率60%

アワビ　1個155g（正味70g）
- たんぱく質5g分：45g
- 塩分 0.8g
- たんぱく質 7.8g
- カリウム 112mg
- リン 57mg
- 脂質 0.2g
- 炭水化物 5.0g
- 53kcal
- 廃棄率55%

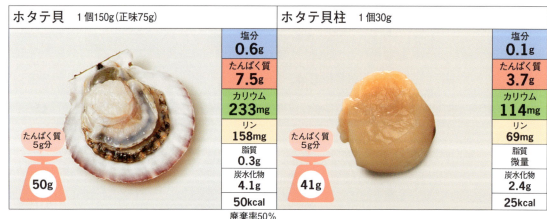

ホタテ貝　1個150g（正味75g）
- たんぱく質5g分：50g
- 塩分 0.6g
- たんぱく質 7.5g
- カリウム 233mg
- リン 158mg
- 脂質 0.3g
- 炭水化物 4.1g
- 50kcal
- 廃棄率50%

ホタテ貝柱　1個30g
- たんぱく質5g分：41g
- 塩分 0.1g
- たんぱく質 3.7g
- カリウム 114mg
- リン 69mg
- 脂質 微量
- 炭水化物 2.4g
- 25kcal

貝類は噛みごたえがあるので満足感が得られます。全体的に低たんぱく質ですが、塩分は多いので調味を控えめに。

主菜になるもの ◎魚（貝）

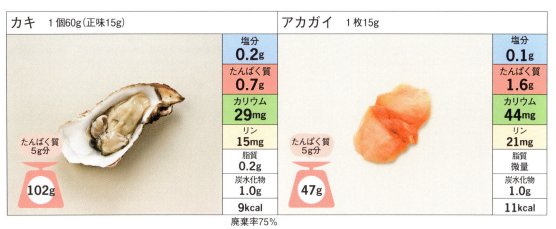

カキ 1個60g（正味15g）
- 塩分 0.2g
- たんぱく質 0.7g
- カリウム 29mg
- リン 15mg
- 脂質 0.2g
- 炭水化物 1.0g
- 9kcal
- たんぱく質5g分 102g
- 廃棄率75%

アカガイ 1枚15g
- 塩分 0.1g
- たんぱく質 1.6g
- カリウム 44mg
- リン 21mg
- 脂質 微量
- 炭水化物 1.0g
- 11kcal
- たんぱく質5g分 47g

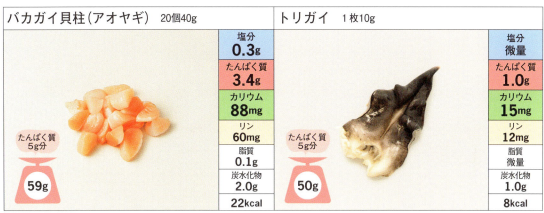

バカガイ貝柱（アオヤギ） 20個40g
- 塩分 0.3g
- たんぱく質 3.4g
- カリウム 88mg
- リン 60mg
- 脂質 0.1g
- 炭水化物 2.0g
- 22kcal
- たんぱく質5g分 59g

トリガイ 1枚10g
- 塩分 微量
- たんぱく質 1.0g
- カリウム 15mg
- リン 12mg
- 脂質 微量
- 炭水化物 1.0g
- 8kcal
- たんぱく質5g分 50g

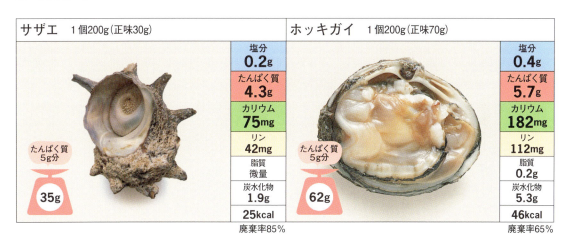

サザエ 1個200g（正味30g）
- 塩分 0.2g
- たんぱく質 4.3g
- カリウム 75mg
- リン 42mg
- 脂質 微量
- 炭水化物 1.9g
- 25kcal
- たんぱく質5g分 35g
- 廃棄率85%

ホッキガイ 1個200g（正味70g）
- 塩分 0.4g
- たんぱく質 5.7g
- カリウム 182mg
- リン 112mg
- 脂質 0.2g
- 炭水化物 5.3g
- 46kcal
- たんぱく質5g分 62g
- 廃棄率65%

魚介

魚介はそのものに塩分があります

主菜になるもの ◎魚（魚介）

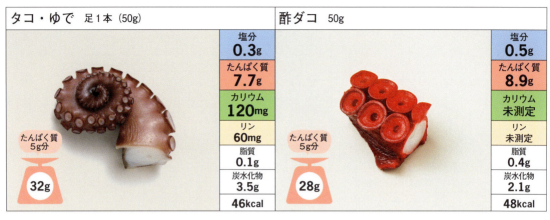

タコ・ゆで　足1本（50g）
- 塩分 0.3g
- たんぱく質 7.7g
- カリウム 120mg
- リン 60mg
- 脂質 0.1g
- 炭水化物 3.5g
- 46kcal
- たんぱく質5g分 32g

酢ダコ　50g
- 塩分 0.5g
- たんぱく質 8.9g
- カリウム 未測定
- リン 未測定
- 脂質 0.4g
- 炭水化物 2.1g
- 48kcal
- たんぱく質5g分 28g

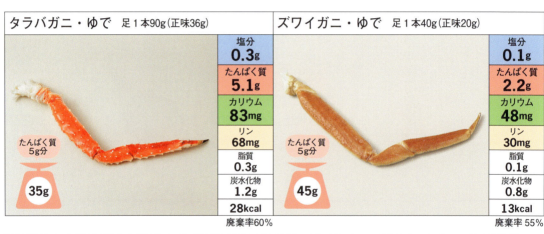

タラバガニ・ゆで　足1本90g（正味36g）
- 塩分 0.3g
- たんぱく質 5.1g
- カリウム 83mg
- リン 68mg
- 脂質 0.3g
- 炭水化物 1.2g
- 28kcal
- たんぱく質5g分 35g
- 廃棄率60%

ズワイガニ・ゆで　足1本40g（正味20g）
- 塩分 0.1g
- たんぱく質 2.2g
- カリウム 48mg
- リン 30mg
- 脂質 0.1g
- 炭水化物 0.8g
- 13kcal
- たんぱく質5g分 45g
- 廃棄率55%

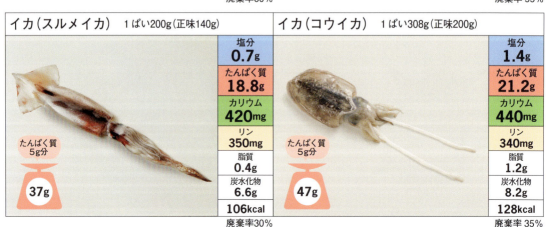

イカ（スルメイカ）　1ぱい200g（正味140g）
- 塩分 0.7g
- たんぱく質 18.8g
- カリウム 420mg
- リン 350mg
- 脂質 0.4g
- 炭水化物 6.6g
- 106kcal
- たんぱく質5g分 37g
- 廃棄率30%

イカ（コウイカ）　1ぱい308g（正味200g）
- 塩分 1.4g
- たんぱく質 21.2g
- カリウム 440mg
- リン 340mg
- 脂質 1.2g
- 炭水化物 8.2g
- 128kcal
- たんぱく質5g分 47g
- 廃棄率35%

低脂質で高たんぱく質の魚介はうま味があるので、少量を楽しむようにしましょう。

主菜になるもの ◎ 魚（魚介）

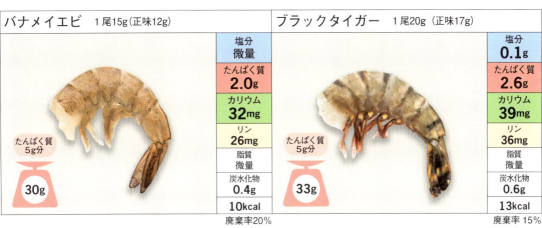

バナメイエビ　1尾15g（正味12g）
たんぱく質5g分　30g
塩分　微量
たんぱく質　2.0g
カリウム　32mg
リン　26mg
脂質　微量
炭水化物　0.4g
10kcal
廃棄率20%

ブラックタイガー　1尾20g（正味17g）
たんぱく質5g分　33g
塩分　0.1g
たんぱく質　2.6g
カリウム　39mg
リン　36mg
脂質　微量
炭水化物　0.6g
13kcal
廃棄率15%

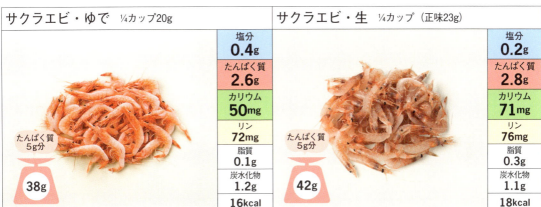

サクラエビ・ゆで　1/4カップ20g
たんぱく質5g分　38g
塩分　0.4g
たんぱく質　2.6g
カリウム　50mg
リン　72mg
脂質　0.1g
炭水化物　1.2g
16kcal

サクラエビ・生　1/4カップ（正味23g）
たんぱく質5g分　42g
塩分　0.2g
たんぱく質　2.8g
カリウム　71mg
リン　76mg
脂質　0.3g
炭水化物　1.1g
18kcal

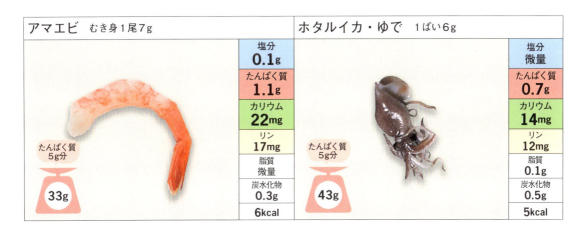

アマエビ　むき身1尾7g
たんぱく質5g分　33g
塩分　0.1g
たんぱく質　1.1g
カリウム　22mg
リン　17mg
脂質　微量
炭水化物　0.3g
6kcal

ホタルイカ・ゆで　1ぱい6g
たんぱく質5g分　43g
塩分　微量
たんぱく質　0.7g
カリウム　14mg
リン　12mg
脂質　0.1g
炭水化物　0.5g
5kcal

小魚・魚介加工品

少量でも高たんぱく質、高塩分です

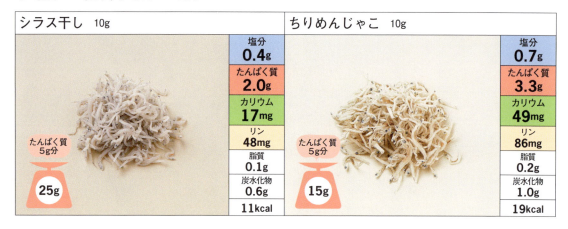

シラス干し 10g		ちりめんじゃこ 10g	
たんぱく質5g分: 25g / 11kcal	塩分 0.4g / たんぱく質 2.0g / カリウム 17mg / リン 48mg / 脂質 0.1g / 炭水化物 0.6g	たんぱく質5g分: 15g / 19kcal	塩分 0.7g / たんぱく質 3.3g / カリウム 49mg / リン 86mg / 脂質 0.2g / 炭水化物 1.0g

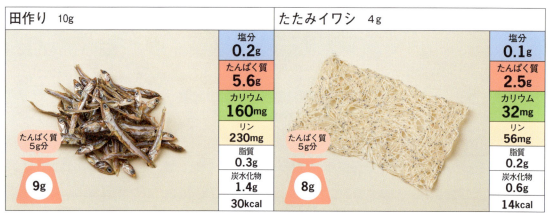

田作り 10g		たたみイワシ 4g	
たんぱく質5g分: 9g / 30kcal	塩分 0.2g / たんぱく質 5.6g / カリウム 160mg / リン 230mg / 脂質 0.3g / 炭水化物 1.4g	たんぱく質5g分: 8g / 14kcal	塩分 0.1g / たんぱく質 2.5g / カリウム 32mg / リン 56mg / 脂質 0.2g / 炭水化物 0.6g

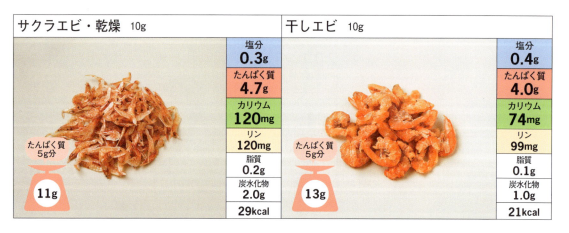

サクラエビ・乾燥 10g		干しエビ 10g	
たんぱく質5g分: 11g / 29kcal	塩分 0.3g / たんぱく質 4.7g / カリウム 120mg / リン 120mg / 脂質 0.2g / 炭水化物 2.0g	たんぱく質5g分: 13g / 21kcal	塩分 0.4g / たんぱく質 4.0g / カリウム 74mg / リン 99mg / 脂質 0.1g / 炭水化物 1.0g

主菜になるもの ◎魚（小魚・魚介加工品）

小魚は鉄やカルシウム源になる食材ですが、高たんぱく質でリンも多く、加工品なので塩分も多くなります。

主菜になるもの ◎ 魚(小魚・魚介加工品)

ウナギ・かば焼き　1串100g

- 塩分 1.3g
- たんぱく質 19.3g
- カリウム 300mg
- リン 300mg
- 脂質 19.4g
- 炭水化物 8.4g
- 285kcal
- たんぱく質5g分 26g

ウナギ・白焼き　100g

- 塩分 0.3g
- たんぱく質 17.4g
- カリウム 300mg
- リン 280mg
- 脂質 22.6g
- 炭水化物 6.6g
- 300kcal
- たんぱく質5g分 29g

アナゴ・蒸し　40g

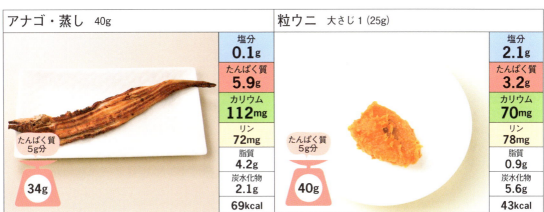

- 塩分 0.1g
- たんぱく質 5.9g
- カリウム 112mg
- リン 72mg
- 脂質 4.2g
- 炭水化物 2.1g
- 69kcal
- たんぱく質5g分 34g

粒ウニ　大さじ1(25g)

- 塩分 2.1g
- たんぱく質 3.2g
- カリウム 70mg
- リン 78mg
- 脂質 0.9g
- 炭水化物 5.6g
- 43kcal
- たんぱく質5g分 40g

スモークサーモン　1枚10g

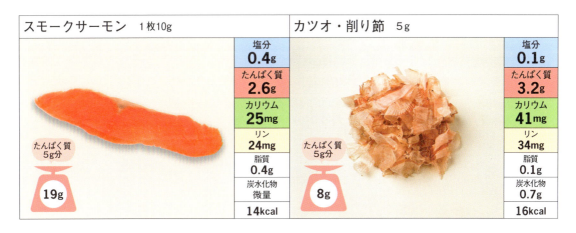

- 塩分 0.4g
- たんぱく質 2.6g
- カリウム 25mg
- リン 24mg
- 脂質 0.4g
- 炭水化物 微量
- 14kcal
- たんぱく質5g分 19g

カツオ・削り節　5g

- 塩分 0.1g
- たんぱく質 3.2g
- カリウム 41mg
- リン 34mg
- 脂質 0.1g
- 炭水化物 0.7g
- 16kcal
- たんぱく質5g分 8g

缶詰め

いずれもたんぱく質、塩分とも多いので要注意

主菜になるもの ◎魚（缶詰め）

ツナ・水煮・フレーク・ライト 40g	ツナ・油漬け 40g
塩分 0.2g	塩分 0.4g
たんぱく質 5.2g	たんぱく質 5.8g
カリウム 92mg	カリウム 92mg
リン 64mg	リン 64mg
脂質 0.2g	脂質 8.5g
炭水化物 1.4g	炭水化物 1.5g
たんぱく質5g分 38g	たんぱく質5g分 35g
28kcal	106kcal

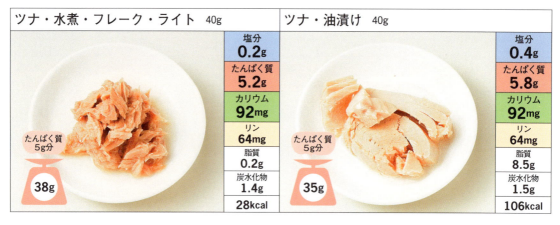

サバ・水煮 50g	サバ・みそ煮 60g
塩分 0.5g	塩分 0.7g
たんぱく質 8.7g	たんぱく質 8.2g
カリウム 130mg	カリウム 150mg
リン 95mg	リン 150mg
脂質 4.7g	脂質 7.5g
炭水化物 2.6g	炭水化物 6.4g
たんぱく質5g分 29g	たんぱく質5g分 37g
87kcal	126kcal

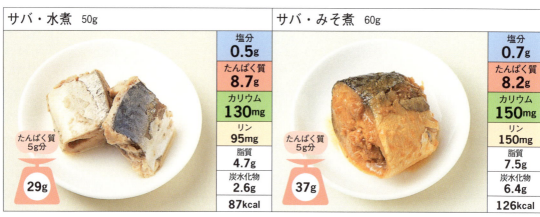

サケ（カラフトマス）・水煮 50g	サケ・中骨入り水煮 50g
塩分 0.3g	塩分 0.7g
たんぱく質 9.0g	たんぱく質 5.5g
カリウム 145mg	カリウム 未測定
リン 155mg	リン 未測定
脂質 3.8g	脂質 1.2g
炭水化物 2.2g	炭水化物 0.1g
たんぱく質5g分 28g	たんぱく質5g分 45g
78kcal	33kcal

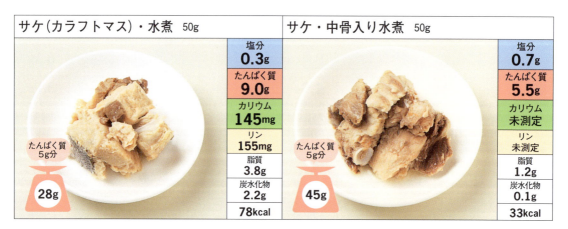

サバやサンマなどの加工品はリンが多く含まれます。味つけしたものは高塩分。水煮にも塩分があるので、味つけは控えめに。

主菜になるもの ◎ 魚（缶詰め）

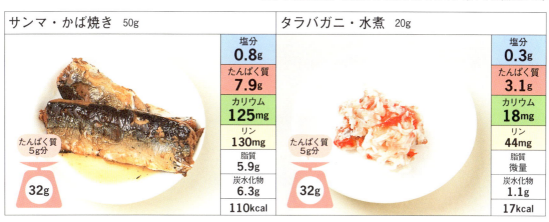

サンマ・かば焼き 50g	タラバガニ・水煮 20g
たんぱく質 5g分 32g	たんぱく質 5g分 32g
塩分 0.8g	塩分 0.3g
たんぱく質 7.9g	たんぱく質 3.1g
カリウム 125mg	カリウム 18mg
リン 130mg	リン 44mg
脂質 5.9g	脂質 微量
炭水化物 6.3g	炭水化物 1.1g
110kcal	17kcal

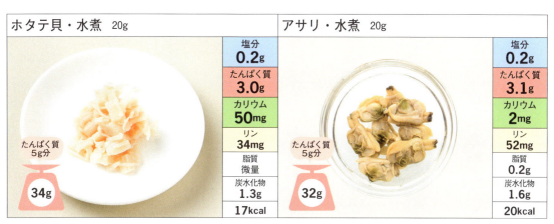

ホタテ貝・水煮 20g	アサリ・水煮 20g
たんぱく質 5g分 34g	たんぱく質 5g分 32g
塩分 0.2g	塩分 0.2g
たんぱく質 3.0g	たんぱく質 3.1g
カリウム 50mg	カリウム 2mg
リン 34mg	リン 52mg
脂質 微量	脂質 0.2g
炭水化物 1.3g	炭水化物 1.6g
17kcal	20kcal

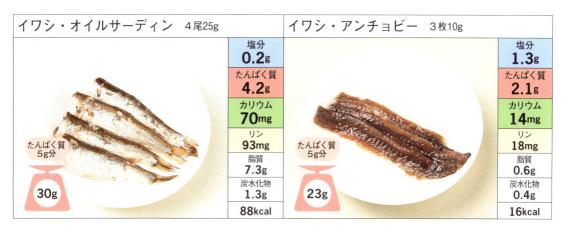

イワシ・オイルサーディン 4尾25g	イワシ・アンチョビー 3枚10g
たんぱく質 5g分 30g	たんぱく質 5g分 23g
塩分 0.2g	塩分 1.3g
たんぱく質 4.2g	たんぱく質 2.1g
カリウム 70mg	カリウム 14mg
リン 93mg	リン 18mg
脂質 7.3g	脂質 0.6g
炭水化物 1.3g	炭水化物 0.4g
88kcal	16kcal

練り製品

練り製品は2％程度の塩分があります

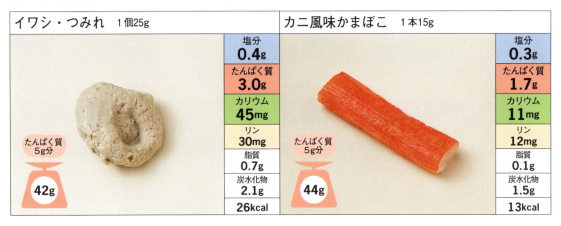

イワシ・つみれ 1個25g	カニ風味かまぼこ 1本15g
塩分 0.4g	塩分 0.3g
たんぱく質 3.0g	たんぱく質 1.7g
カリウム 45mg	カリウム 11mg
リン 30mg	リン 12mg
脂質 0.7g	脂質 0.1g
炭水化物 2.1g	炭水化物 1.5g
26kcal	13kcal
たんぱく質5g分 42g	たんぱく質5g分 44g

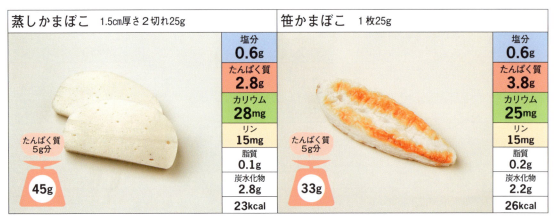

蒸しかまぼこ 1.5cm厚さ2切れ25g	笹かまぼこ 1枚25g
塩分 0.6g	塩分 0.6g
たんぱく質 2.8g	たんぱく質 3.8g
カリウム 28mg	カリウム 25mg
リン 15mg	リン 15mg
脂質 0.1g	脂質 0.2g
炭水化物 2.8g	炭水化物 2.2g
23kcal	26kcal
たんぱく質5g分 45g	たんぱく質5g分 33g

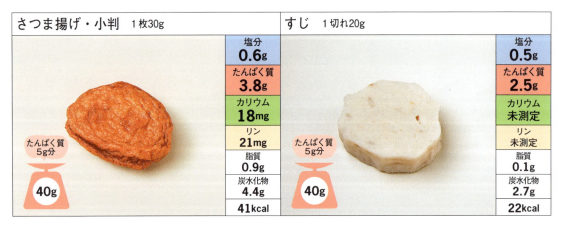

さつま揚げ・小判 1枚30g	すじ 1切れ20g
塩分 0.6g	塩分 0.5g
たんぱく質 3.8g	たんぱく質 2.5g
カリウム 18mg	カリウム 未測定
リン 21mg	リン 未測定
脂質 0.9g	脂質 0.1g
炭水化物 4.4g	炭水化物 2.7g
41kcal	22kcal
たんぱく質5g分 40g	たんぱく質5g分 40g

主菜になるもの ○魚（練り製品）

魚介そのものより低たんぱく質でカリウムも少なめですが、塩分は多め。少量をうま味に利用するのもよいでしょう。

主菜になるもの ◎魚（練り製品）

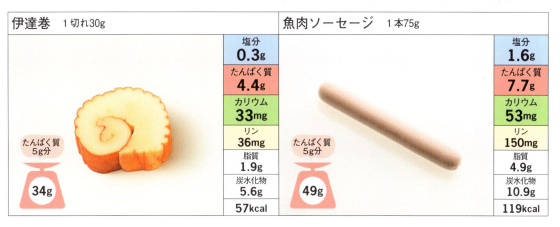

伊達巻　1切れ30g
- 塩分 0.3g
- たんぱく質 4.4g
- カリウム 33mg
- リン 36mg
- 脂質 1.9g
- 炭水化物 5.6g
- 57kcal
- たんぱく質5g分 34g

魚肉ソーセージ　1本75g
- 塩分 1.6g
- たんぱく質 7.7g
- カリウム 53mg
- リン 150mg
- 脂質 4.9g
- 炭水化物 10.9g
- 119kcal
- たんぱく質5g分 49g

鳴門巻き　3枚20g
- 塩分 0.4g
- たんぱく質 1.5g
- カリウム 32mg
- リン 22mg
- 脂質 0.1g
- 炭水化物 2.3g
- 16kcal
- たんぱく質5g分 66g

はんぺん　1枚100g
- 塩分 1.5g
- たんぱく質 9.9g
- カリウム 160mg
- リン 110mg
- 脂質 0.9g
- 炭水化物 11.5g
- 93kcal
- たんぱく質5g分 51g

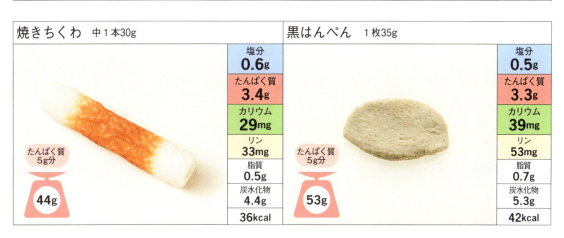

焼きちくわ　中1本30g
- 塩分 0.6g
- たんぱく質 3.4g
- カリウム 29mg
- リン 33mg
- 脂質 0.5g
- 炭水化物 4.4g
- 36kcal
- たんぱく質5g分 44g

黒はんぺん　1枚35g
- 塩分 0.5g
- たんぱく質 3.3g
- カリウム 39mg
- リン 53mg
- 脂質 0.7g
- 炭水化物 5.3g
- 42kcal
- たんぱく質5g分 53g

牛肉

ももやヒレなど赤身肉は高たんぱく質です

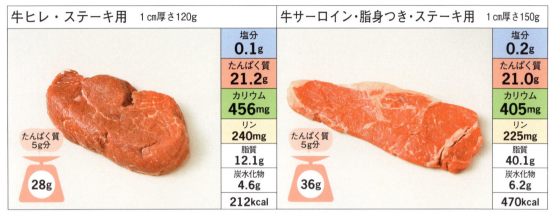

牛ヒレ・ステーキ用　1cm厚さ120g
- たんぱく質5g分: 28g
- 塩分: 0.1g
- たんぱく質: 21.2g
- カリウム: 456mg
- リン: 240mg
- 脂質: 12.1g
- 炭水化物: 4.6g
- 212kcal

牛サーロイン・脂身つき・ステーキ用　1cm厚さ150g
- たんぱく質5g分: 36g
- 塩分: 0.2g
- たんぱく質: 21.0g
- カリウム: 405mg
- リン: 225mg
- 脂質: 40.1g
- 炭水化物: 6.2g
- 470kcal

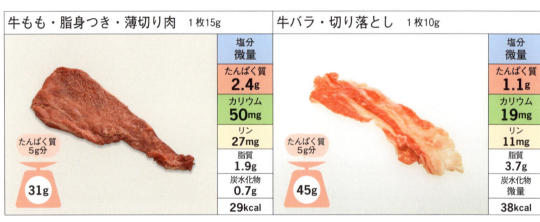

牛もも・脂身つき・薄切り肉　1枚15g
- たんぱく質5g分: 31g
- 塩分: 微量
- たんぱく質: 2.4g
- カリウム: 50mg
- リン: 27mg
- 脂質: 1.9g
- 炭水化物: 0.7g
- 29kcal

牛バラ・切り落とし　1枚10g
- たんぱく質5g分: 45g
- 塩分: 微量
- たんぱく質: 1.1g
- カリウム: 19mg
- リン: 11mg
- 脂質: 3.7g
- 炭水化物: 微量
- 38kcal

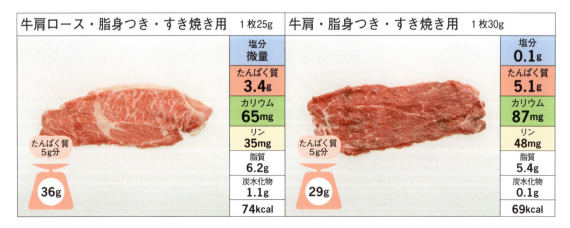

牛肩ロース・脂身つき・すき焼き用　1枚25g
- たんぱく質5g分: 36g
- 塩分: 微量
- たんぱく質: 3.4g
- カリウム: 65mg
- リン: 35mg
- 脂質: 6.2g
- 炭水化物: 1.1g
- 74kcal

牛肩・脂身つき・すき焼き用　1枚30g
- たんぱく質5g分: 29g
- 塩分: 0.1g
- たんぱく質: 5.1g
- カリウム: 87mg
- リン: 48mg
- 脂質: 5.4g
- 炭水化物: 0.1g
- 69kcal

主菜になるもの　○肉（牛肉）

赤身肉よりも脂肪を適度に含む部位のほうがたんぱく質は少なめ。効率よくエネルギーも確保できます。

主菜になるもの ◎肉（牛肉）

牛すね肉 4cm角60g
- 塩分 未測定
- たんぱく質 12.3g
- カリウム 未測定
- リン 未測定
- 脂質 5.0g
- 炭水化物 0g
- 100kcal
- たんぱく質5g分 24g

牛・腱（スジ）・ゆで 50g
- 塩分 0.1g
- たんぱく質 14.2g
- カリウム 10mg
- リン 12mg
- 脂質 2.2g
- 炭水化物 0g
- 76kcal
- たんぱく質5g分 18g

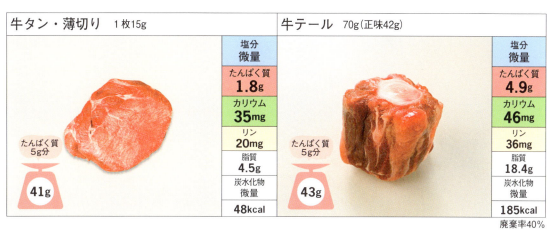

牛タン・薄切り 1枚15g
- 塩分 微量
- たんぱく質 1.8g
- カリウム 35mg
- リン 20mg
- 脂質 4.5g
- 炭水化物 微量
- 48kcal
- たんぱく質5g分 41g

牛テール 70g（正味42g）
- 塩分 微量
- たんぱく質 4.9g
- カリウム 46mg
- リン 36mg
- 脂質 18.4g
- 炭水化物 微量
- 185kcal
- たんぱく質5g分 43g
- 廃棄率40%

牛ハラミ（横隔膜） 1枚20g
- 塩分 微量
- たんぱく質 2.6g
- カリウム 50mg
- リン 28mg
- 脂質 5.2g
- 炭水化物 0.1g
- 58kcal
- たんぱく質5g分 38g

牛レバー・薄切り 1枚15g
- 塩分 微量
- たんぱく質 2.6g
- カリウム 45mg
- リン 50mg
- 脂質 0.3g
- 炭水化物 1.1g
- 18kcal
- たんぱく質5g分 29g

豚肉

たんぱく質8g前後が1食分の目安

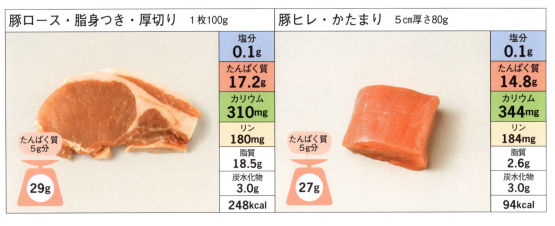

豚ロース・脂身つき・厚切り　1枚100g
- 塩分 0.1g
- たんぱく質 17.2g
- カリウム 310mg
- リン 180mg
- 脂質 18.5g
- 炭水化物 3.0g
- 248kcal
- たんぱく質5g分 29g

豚ヒレ・かたまり　5cm厚さ80g
- 塩分 0.1g
- たんぱく質 14.8g
- カリウム 344mg
- リン 184mg
- 脂質 2.6g
- 炭水化物 3.0g
- 94kcal
- たんぱく質5g分 27g

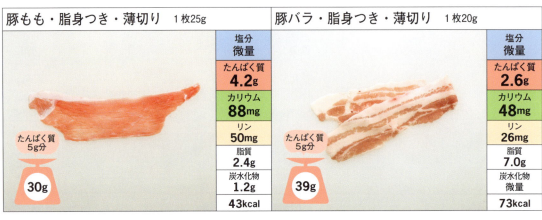

豚もも・脂身つき・薄切り　1枚25g
- 塩分 微量
- たんぱく質 4.2g
- カリウム 88mg
- リン 50mg
- 脂質 2.4g
- 炭水化物 1.2g
- 43kcal
- たんぱく質5g分 30g

豚バラ・脂身つき・薄切り　1枚20g
- 塩分 微量
- たんぱく質 2.6g
- カリウム 48mg
- リン 26mg
- 脂質 7.0g
- 炭水化物 微量
- 73kcal
- たんぱく質5g分 39g

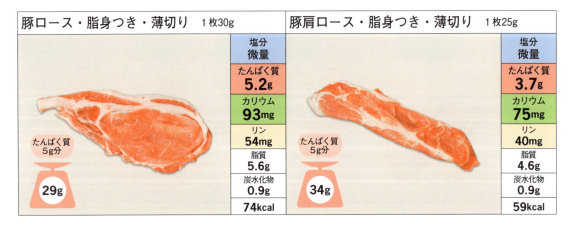

豚ロース・脂身つき・薄切り　1枚30g
- 塩分 微量
- たんぱく質 5.2g
- カリウム 93mg
- リン 54mg
- 脂質 5.6g
- 炭水化物 0.9g
- 74kcal
- たんぱく質5g分 29g

豚肩ロース・脂身つき・薄切り　1枚25g
- 塩分 微量
- たんぱく質 3.7g
- カリウム 75mg
- リン 40mg
- 脂質 4.6g
- 炭水化物 0.9g
- 59kcal
- たんぱく質5g分 34g

主菜になるもの ○肉（豚肉）

同じ重量なら、かたまり肉より薄切り肉のほうがかさが増して多く見えます。料理に使いやすいのも利点。

主菜になるもの ◎肉（豚肉）

スペアリブ　1本150g（正味98g）

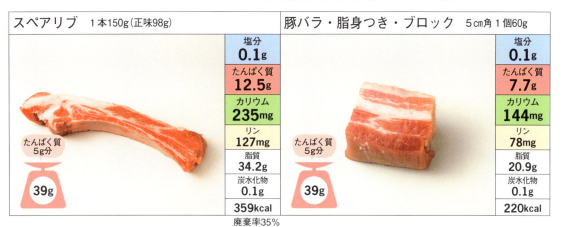

たんぱく質5g分　39g

塩分	0.1g
たんぱく質	12.5g
カリウム	235mg
リン	127mg
脂質	34.2g
炭水化物	0.1g
	359kcal

廃棄率35%

豚バラ・脂身つき・ブロック　5cm角1個60g

たんぱく質5g分　39g

塩分	0.1g
たんぱく質	7.7g
カリウム	144mg
リン	78mg
脂質	20.9g
炭水化物	0.1g
	220kcal

豚肩ロース・脂身つき・ブロック　3cm角1個25g

たんぱく質5g分　34g

塩分	微量
たんぱく質	3.7g
カリウム	75mg
リン	40mg
脂質	4.6g
炭水化物	0.9g
	59kcal

豚レバー・薄切り　1枚10g

たんぱく質5g分　29g

塩分	微量
たんぱく質	1.7g
カリウム	29mg
リン	34mg
脂質	0.2g
炭水化物	0.7g
	11kcal

豚軟骨・ゆで　50g

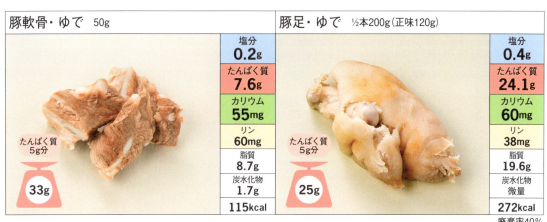

たんぱく質5g分　33g

塩分	0.2g
たんぱく質	7.6g
カリウム	55mg
リン	60mg
脂質	8.7g
炭水化物	1.7g
	115kcal

豚足・ゆで　½本200g（正味120g）

たんぱく質5g分　25g

塩分	0.4g
たんぱく質	24.1g
カリウム	60mg
リン	38mg
脂質	19.6g
炭水化物	微量
	272kcal

廃棄率40%

鶏肉

主菜になるもの ○肉（鶏肉）

鶏肉では皮つきもも肉がたんぱく質少なめ

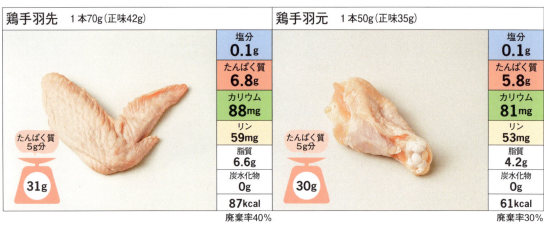

鶏手羽先　1本70g（正味42g）
- 塩分 0.1g
- たんぱく質 6.8g
- カリウム 88mg
- リン 59mg
- 脂質 6.6g
- 炭水化物 0g
- 87kcal
- たんぱく質5g分 31g
- 廃棄率40%

鶏手羽元　1本50g（正味35g）
- 塩分 0.1g
- たんぱく質 5.8g
- カリウム 81mg
- リン 53mg
- 脂質 4.2g
- 炭水化物 0g
- 61kcal
- たんぱく質5g分 30g
- 廃棄率30%

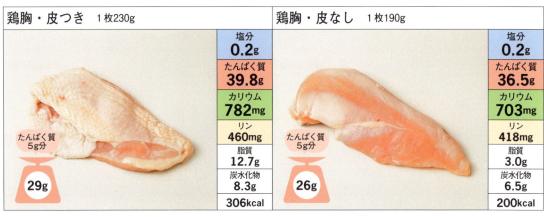

鶏胸・皮つき　1枚230g
- 塩分 0.2g
- たんぱく質 39.8g
- カリウム 782mg
- リン 460mg
- 脂質 12.7g
- 炭水化物 8.3g
- 306kcal
- たんぱく質5g分 29g

鶏胸・皮なし　1枚190g
- 塩分 0.2g
- たんぱく質 36.5g
- カリウム 703mg
- リン 418mg
- 脂質 3.0g
- 炭水化物 6.5g
- 200kcal
- たんぱく質5g分 26g

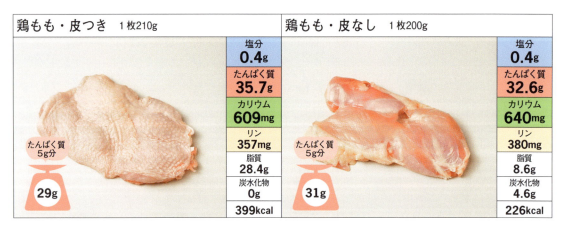

鶏もも・皮つき　1枚210g
- 塩分 0.4g
- たんぱく質 35.7g
- カリウム 609mg
- リン 357mg
- 脂質 28.4g
- 炭水化物 0g
- 399kcal
- たんぱく質5g分 29g

鶏もも・皮なし　1枚200g
- 塩分 0.4g
- たんぱく質 32.6g
- カリウム 640mg
- リン 380mg
- 脂質 8.6g
- 炭水化物 4.6g
- 226kcal
- たんぱく質5g分 31g

1食分の目安は、ささ身や皮なし胸肉はたんぱく質が多いので30g、皮つきもも肉は40〜45g、手羽先や手羽元は1本です。

主菜になるもの ◎肉(鶏肉)

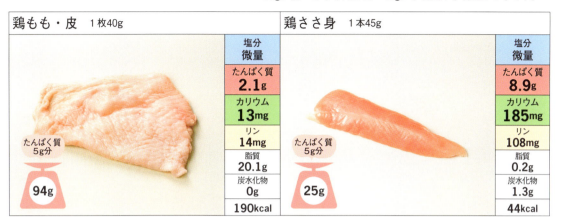

鶏もも・皮　1枚40g
- 塩分 微量
- たんぱく質 2.1g
- カリウム 13mg
- リン 14mg
- 脂質 20.1g
- 炭水化物 0g
- 190kcal
- たんぱく質5g分 94g

鶏ささ身　1本45g
- 塩分 微量
- たんぱく質 8.9g
- カリウム 185mg
- リン 108mg
- 脂質 0.2g
- 炭水化物 1.3g
- 44kcal
- たんぱく質5g分 25g

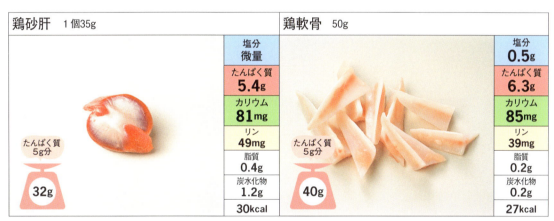

鶏砂肝　1個35g
- 塩分 微量
- たんぱく質 5.4g
- カリウム 81mg
- リン 49mg
- 脂質 0.4g
- 炭水化物 1.2g
- 30kcal
- たんぱく質5g分 32g

鶏軟骨　50g
- 塩分 0.5g
- たんぱく質 6.3g
- カリウム 85mg
- リン 39mg
- 脂質 0.2g
- 炭水化物 0.2g
- 27kcal
- たんぱく質5g分 40g

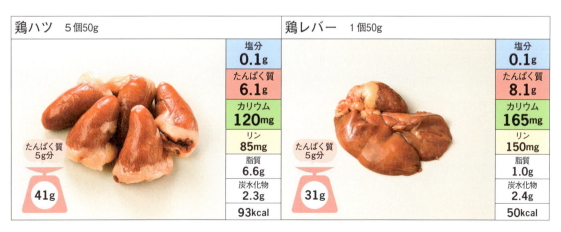

鶏ハツ　5個50g
- 塩分 0.1g
- たんぱく質 6.1g
- カリウム 120mg
- リン 85mg
- 脂質 6.6g
- 炭水化物 2.3g
- 93kcal
- たんぱく質5g分 41g

鶏レバー　1個50g
- 塩分 0.1g
- たんぱく質 8.1g
- カリウム 165mg
- リン 150mg
- 脂質 1.0g
- 炭水化物 2.4g
- 50kcal
- たんぱく質5g分 31g

ひき肉・その他肉

ひき肉は赤身より脂身の割合が多いものを選んで

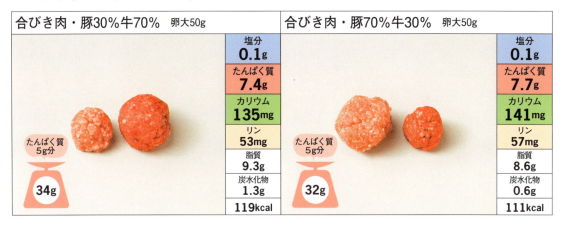

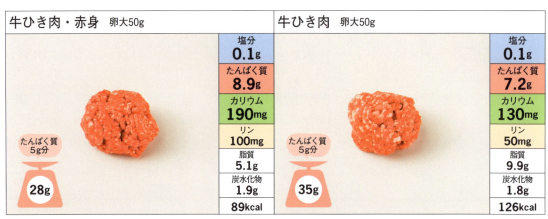

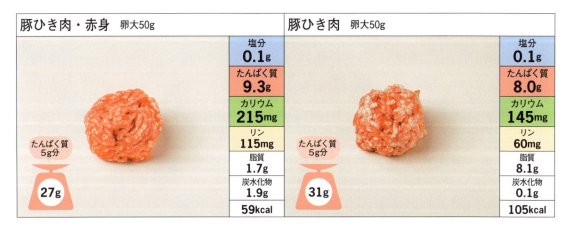

ひき肉は少量でもうま味が出ます。1食分の目安は40gくらい。
みじん切りの野菜などと合わせてボリュームを出しましょう。

主菜になるもの ◎肉（ひき肉・その他肉）

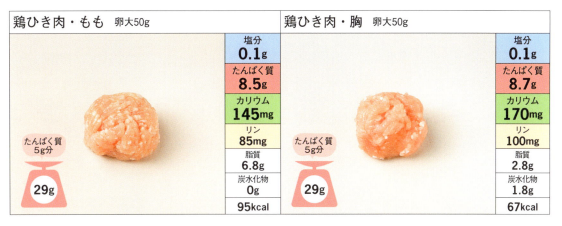

鶏ひき肉・もも　卵大50g
- 塩分 0.1g
- たんぱく質 8.5g
- カリウム 145mg
- リン 85mg
- 脂質 6.8g
- 炭水化物 0g
- 95kcal
- たんぱく質5g分 29g

鶏ひき肉・胸　卵大50g
- 塩分 0.1g
- たんぱく質 8.7g
- カリウム 170mg
- リン 100mg
- 脂質 2.8g
- 炭水化物 1.8g
- 67kcal
- たんぱく質5g分 29g

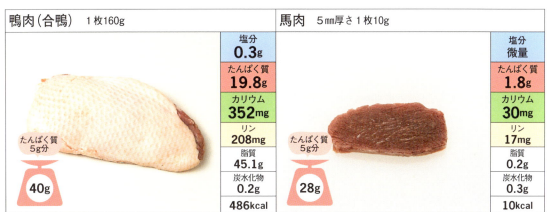

鴨肉（合鴨）　1枚160g
- 塩分 0.3g
- たんぱく質 19.8g
- カリウム 352mg
- リン 208mg
- 脂質 45.1g
- 炭水化物 0.2g
- 486kcal
- たんぱく質5g分 40g

馬肉　5mm厚さ1枚10g
- 塩分 微量
- たんぱく質 1.8g
- カリウム 30mg
- リン 17mg
- 脂質 0.2g
- 炭水化物 0.3g
- 10kcal
- たんぱく質5g分 28g

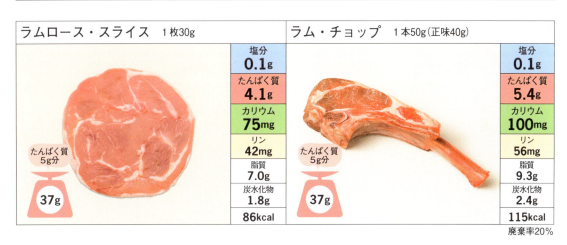

ラムロース・スライス　1枚30g
- 塩分 0.1g
- たんぱく質 4.1g
- カリウム 75mg
- リン 42mg
- 脂質 7.0g
- 炭水化物 1.8g
- 86kcal
- たんぱく質5g分 37g

ラム・チョップ　1本50g（正味40g）
- 塩分 0.1g
- たんぱく質 5.4g
- カリウム 100mg
- リン 56mg
- 脂質 9.3g
- 炭水化物 2.4g
- 115kcal
- たんぱく質5g分 37g

廃棄率20%

ハム・ベーコン

ハム、ベーコンの塩分は2.5%前後と高塩分です

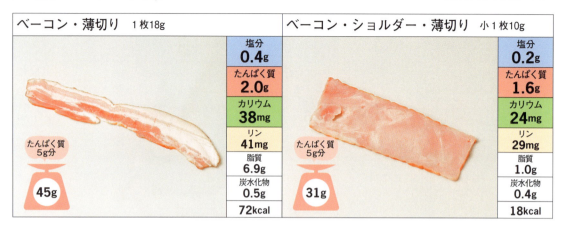

ベーコン・薄切り　1枚18g
- 塩分 0.4g
- たんぱく質 2.0g
- カリウム 38mg
- リン 41mg
- 脂質 6.9g
- 炭水化物 0.5g
- 72kcal
- たんぱく質5g分 45g

ベーコン・ショルダー・薄切り　小1枚10g
- 塩分 0.2g
- たんぱく質 1.6g
- カリウム 24mg
- リン 29mg
- 脂質 1.0g
- 炭水化物 0.4g
- 18kcal
- たんぱく質5g分 31g

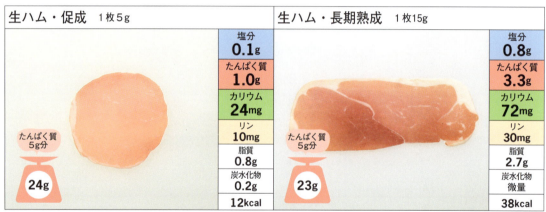

生ハム・促成　1枚5g
- 塩分 0.1g
- たんぱく質 1.0g
- カリウム 24mg
- リン 10mg
- 脂質 0.8g
- 炭水化物 0.2g
- 12kcal
- たんぱく質5g分 24g

生ハム・長期熟成　1枚15g
- 塩分 0.8g
- たんぱく質 3.3g
- カリウム 72mg
- リン 30mg
- 脂質 2.7g
- 炭水化物 微量
- 38kcal
- たんぱく質5g分 23g

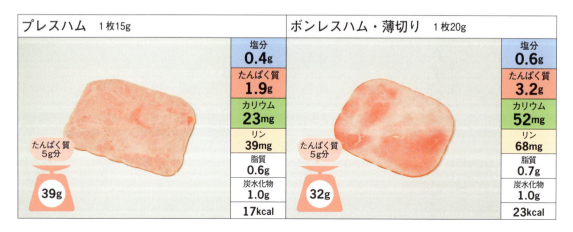

プレスハム　1枚15g
- 塩分 0.4g
- たんぱく質 1.9g
- カリウム 23mg
- リン 39mg
- 脂質 0.6g
- 炭水化物 1.0g
- 17kcal
- たんぱく質5g分 39g

ボンレスハム・薄切り　1枚20g
- 塩分 0.6g
- たんぱく質 3.2g
- カリウム 52mg
- リン 68mg
- 脂質 0.7g
- 炭水化物 1.0g
- 23kcal
- たんぱく質5g分 32g

たんぱく質量は生肉とほとんど変わりませんが、塩分が多いので食べるときは10〜20gを目安にしましょう。

主菜になるもの ◎肉（ハム・ベーコン）

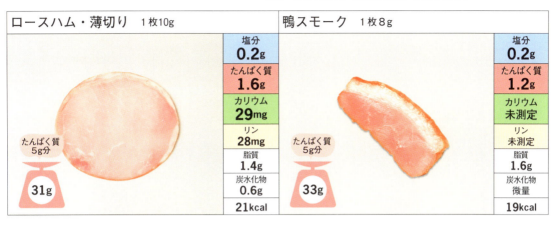

ロースハム・薄切り 1枚10g
- 塩分 0.2g
- たんぱく質 1.6g
- カリウム 29mg
- リン 28mg
- 脂質 1.4g
- 炭水化物 0.6g
- 21kcal
- たんぱく質5g分 31g

鴨スモーク 1枚8g
- 塩分 0.2g
- たんぱく質 1.2g
- カリウム 未測定
- リン 未測定
- 脂質 1.6g
- 炭水化物 微量
- 19kcal
- たんぱく質5g分 33g

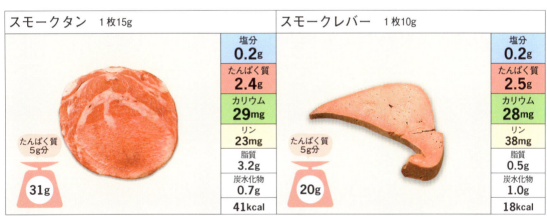

スモークタン 1枚15g
- 塩分 0.2g
- たんぱく質 2.4g
- カリウム 29mg
- リン 23mg
- 脂質 3.2g
- 炭水化物 0.7g
- 41kcal
- たんぱく質5g分 31g

スモークレバー 1枚10g
- 塩分 0.2g
- たんぱく質 2.5g
- カリウム 28mg
- リン 38mg
- 脂質 0.5g
- 炭水化物 1.0g
- 18kcal
- たんぱく質5g分 20g

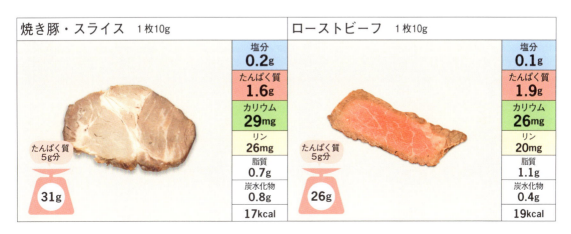

焼き豚・スライス 1枚10g
- 塩分 0.2g
- たんぱく質 1.6g
- カリウム 29mg
- リン 26mg
- 脂質 0.7g
- 炭水化物 0.8g
- 17kcal
- たんぱく質5g分 31g

ローストビーフ 1枚10g
- 塩分 0.1g
- たんぱく質 1.9g
- カリウム 26mg
- リン 20mg
- 脂質 1.1g
- 炭水化物 0.4g
- 19kcal
- たんぱく質5g分 26g

ソーセージ・缶詰め

ソーセージの塩分は２％前後あります

あらびきソーセージ　1本20g

- 塩分 0.4g
- たんぱく質 2.2g
- カリウム 40mg
- リン 34mg
- 脂質 4.8g
- 炭水化物 1.6g
- 59kcal

たんぱく質5g分 45g

ウインナソーセージ　1本25g

- 塩分 0.5g
- たんぱく質 2.6g
- カリウム 45mg
- リン 50mg
- 脂質 7.3g
- 炭水化物 0.8g
- 80kcal

たんぱく質5g分 48g

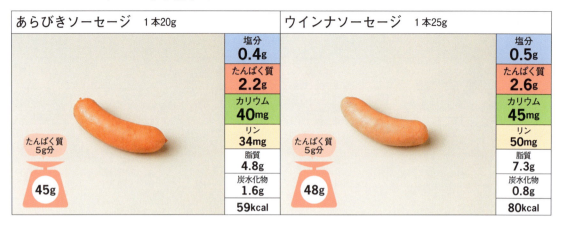

サラミソーセージ　1枚6g

- 塩分 0.3g
- たんぱく質 1.4g
- カリウム 26mg
- リン 15mg
- 脂質 2.4g
- 炭水化物 0.2g
- 28kcal

たんぱく質5g分 22g

フランクフルトソーセージ　1本55g

- 塩分 1.0g
- たんぱく質 6.1g
- カリウム 110mg
- リン 94mg
- 脂質 13.3g
- 炭水化物 4.4g
- 162kcal

たんぱく質5g分 45g

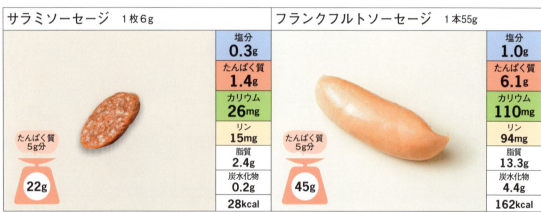

ボロニアソーセージ　1枚10g

- 塩分 0.2g
- たんぱく質 1.1g
- カリウム 18mg
- リン 21mg
- 脂質 2.1g
- 炭水化物 0.3g
- 24kcal

たんぱく質5g分 45g

リオナソーセージ　1枚15g

- 塩分 0.3g
- たんぱく質 2.0g
- カリウム 30mg
- リン 36mg
- 脂質 1.9g
- 炭水化物 0.9g
- 28kcal

たんぱく質5g分 37g

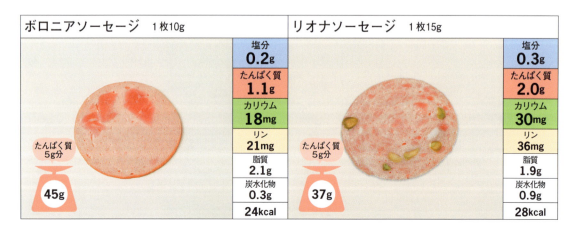

たんぱく質量は生肉と比べると少なめですが、加工品は塩分が多いので、1食15〜20gを目安にしましょう。

主菜になるもの ◎肉（ソーセージ・缶詰め）

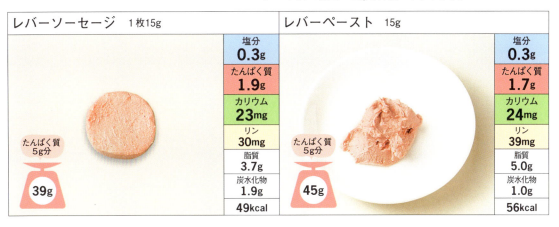

レバーソーセージ　1枚15g
- 塩分 0.3g
- たんぱく質 1.9g
- カリウム 23mg
- リン 30mg
- 脂質 3.7g
- 炭水化物 1.9g
- 49kcal
- たんぱく質5g分 39g

レバーペースト　15g
- 塩分 0.3g
- たんぱく質 1.7g
- カリウム 24mg
- リン 39mg
- 脂質 5.0g
- 炭水化物 1.0g
- 56kcal
- たんぱく質5g分 45g

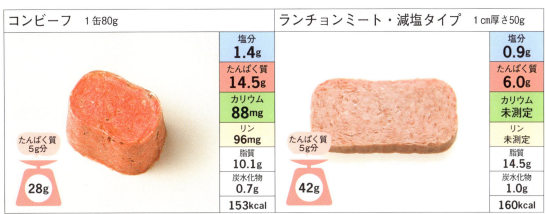

コンビーフ　1缶80g
- 塩分 1.4g
- たんぱく質 14.5g
- カリウム 88mg
- リン 96mg
- 脂質 10.1g
- 炭水化物 0.7g
- 153kcal
- たんぱく質5g分 28g

ランチョンミート・減塩タイプ　1cm厚さ50g
- 塩分 0.9g
- たんぱく質 6.0g
- カリウム 未測定
- リン 未測定
- 脂質 14.5g
- 炭水化物 1.0g
- 160kcal
- たんぱく質5g分 42g

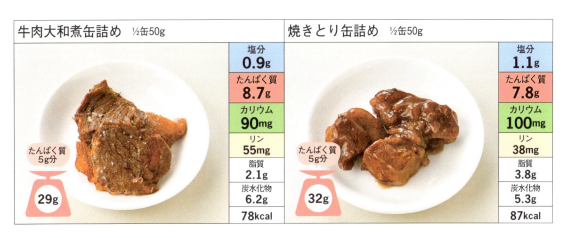

牛肉大和煮缶詰め　½缶50g
- 塩分 0.9g
- たんぱく質 8.7g
- カリウム 90mg
- リン 55mg
- 脂質 2.1g
- 炭水化物 6.2g
- 78kcal
- たんぱく質5g分 29g

焼きとり缶詰め　½缶50g
- 塩分 1.1g
- たんぱく質 7.8g
- カリウム 100mg
- リン 38mg
- 脂質 3.8g
- 炭水化物 5.3g
- 87kcal
- たんぱく質5g分 32g

卵

完全栄養食品といわれ、たんぱく質も良質です

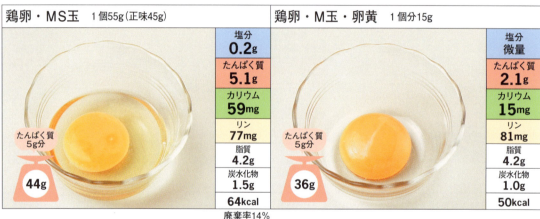

卵はビタミンA、B₂、鉄も期待できます。たんぱく質制限が1日30gの人でも毎日½～1個とることをおすすめします。

主菜になるもの ● 卵

温泉卵　1個50g
- 塩分 0.2g
- たんぱく質 5.3g
- カリウム 50mg
- リン 100mg
- 脂質 4.9g
- 炭水化物 2.0g
- 73kcal
- たんぱく質5g分 = 47g

卵豆腐　1パック110g
- 塩分 1.1g
- たんぱく質 6.4g
- カリウム 109mg
- リン 105mg
- 脂質 5.0g
- 炭水化物 3.4g
- 84kcal
- たんぱく質5g分 = 86g

厚焼き卵　50g
- 塩分 0.6g
- たんぱく質 4.7g
- カリウム 65mg
- リン 75mg
- 脂質 4.1g
- 炭水化物 4.5g
- 73kcal
- たんぱく質5g分 = 53g

砂糖添加したもの

だし巻き卵　40g
- 塩分 0.5g
- たんぱく質 3.9g
- カリウム 52mg
- リン 64mg
- 脂質 3.2g
- 炭水化物 1.2g
- 49kcal
- たんぱく質5g分 = 51g

砂糖添加なしのもの

ピータン　1個64g
- 塩分 1.3g
- たんぱく質 8.8g
- カリウム 42mg
- リン 147mg
- 脂質 8.6g
- 炭水化物 1.9g
- 120kcal
- たんぱく質5g分 = 36g

鶏卵の規格

1日のたんぱく質が40gの場合、卵はM～Lサイズ1個（たんぱく質約6g）が適量です。

卵のサイズ

サイズ	卵重	平均卵重	たんぱく質
LL	70～76 g	73 g	7.1 g
L	64～70 g	67 g	6.2 g
M	58～64 g	61 g	5.7 g
MS	52～58 g	55 g	5.1 g
S	46～52 g	49 g	4.7 g
SS	40～46 g	43 g	4.2 g

出所　JA全農たまご(株)HP。たんぱく質量は正味重量あたり（編集部作成）

大豆・豆腐

大豆は良質な植物性のたんぱく質源でコレステロールはほぼゼロ

主菜になるもの ◎大豆・豆腐

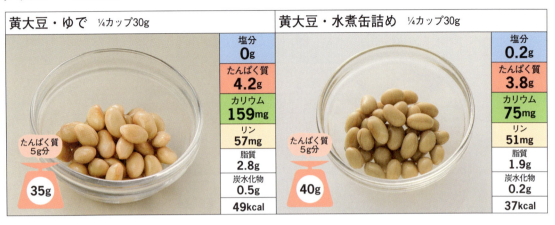

黄大豆・ゆで ¼カップ 30g
- たんぱく質5g分 35g
- 塩分 0g
- たんぱく質 4.2g
- カリウム 159mg
- リン 57mg
- 脂質 2.8g
- 炭水化物 0.5g
- 49kcal

黄大豆・水煮缶詰め ¼カップ 30g
- たんぱく質5g分 40g
- 塩分 0.2g
- たんぱく質 3.8g
- カリウム 75mg
- リン 51mg
- 脂質 1.9g
- 炭水化物 0.2g
- 37kcal

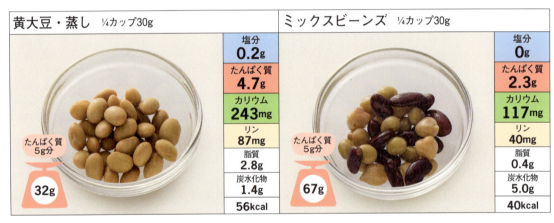

黄大豆・蒸し ¼カップ 30g
- たんぱく質5g分 32g
- 塩分 0.2g
- たんぱく質 4.7g
- カリウム 243mg
- リン 87mg
- 脂質 2.8g
- 炭水化物 1.4g
- 56kcal

ミックスビーンズ ¼カップ 30g
- たんぱく質5g分 67g
- 塩分 0g
- たんぱく質 2.3g
- カリウム 117mg
- リン 40mg
- 脂質 0.4g
- 炭水化物 5.0g
- 40kcal

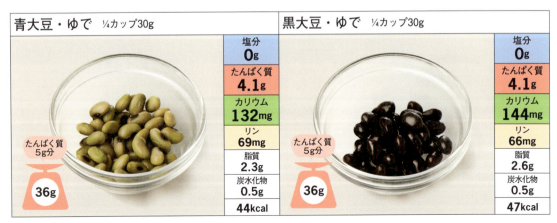

青大豆・ゆで ¼カップ 30g
- たんぱく質5g分 36g
- 塩分 0g
- たんぱく質 4.1g
- カリウム 132mg
- リン 69mg
- 脂質 2.3g
- 炭水化物 0.5g
- 44kcal

黒大豆・ゆで ¼カップ 30g
- たんぱく質5g分 36g
- 塩分 0g
- たんぱく質 4.1g
- カリウム 144mg
- リン 66mg
- 脂質 2.6g
- 炭水化物 0.5g
- 47kcal

大豆製品はカルシウムや鉄が期待できますが、リンも多いので、じょうずに利用したい食材です。

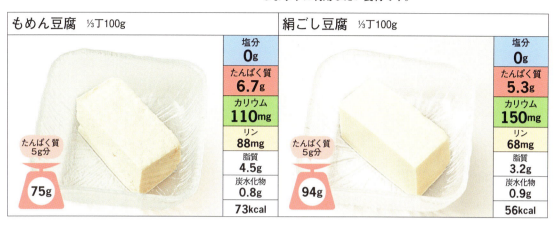

もめん豆腐 ⅓丁100g
- 塩分 0g
- たんぱく質 6.7g
- カリウム 110mg
- リン 88mg
- 脂質 4.5g
- 炭水化物 0.8g
- たんぱく質5g分 75g
- 73kcal

絹ごし豆腐 ⅓丁100g
- 塩分 0g
- たんぱく質 5.3g
- カリウム 150mg
- リン 68mg
- 脂質 3.2g
- 炭水化物 0.9g
- たんぱく質5g分 94g
- 56kcal

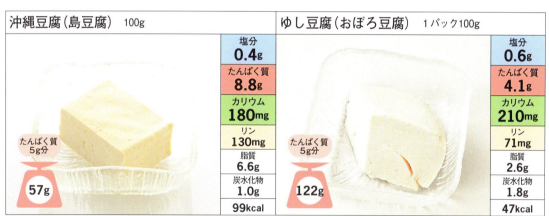

沖縄豆腐（島豆腐） 100g
- 塩分 0.4g
- たんぱく質 8.8g
- カリウム 180mg
- リン 130mg
- 脂質 6.6g
- 炭水化物 1.0g
- たんぱく質5g分 57g
- 99kcal

ゆし豆腐（おぼろ豆腐） 1パック100g
- 塩分 0.6g
- たんぱく質 4.1g
- カリウム 210mg
- リン 71mg
- 脂質 2.6g
- 炭水化物 1.8g
- たんぱく質5g分 122g
- 47kcal

焼き豆腐 ⅓丁100g
- 塩分 0g
- たんぱく質 7.8g
- カリウム 90mg
- リン 110mg
- 脂質 5.2g
- 炭水化物 0.6g
- たんぱく質5g分 64g
- 82kcal

大豆製品はリン、カリウムが多い

　豆腐などの大豆製品を主菜にする場合、1食50〜70ｇが目安になります。水分が少ないものほどたんぱく質量が多くなります。また、蒸し大豆や納豆はカリウムとリンが多く、凍り豆腐や厚揚げ、油揚げもリンが多く含まれます（56㌻）。

　カリウム制限がある場合、厚揚げなどの油抜きは熱湯をまわしかけるのではなく、ゆでることでカリウムを減らすことができます。また、蒸し大豆とゆで大豆では、たんぱく質量はあまり変わりませんが、ゆで大豆のほうがカリウム、リンともに少なくなります。

主菜になるもの ◎大豆・豆腐

大豆製品

大豆製品はリンに注意

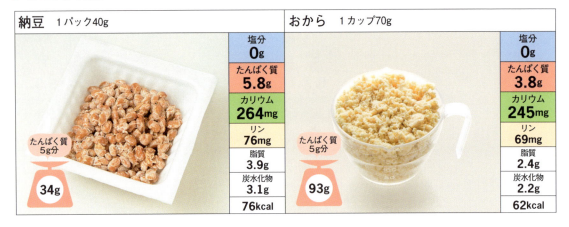

納豆 1パック40g		おから 1カップ70g	
たんぱく質5g分 34g	塩分 0g たんぱく質 5.8g カリウム 264mg リン 76mg 脂質 3.9g 炭水化物 3.1g 76kcal	たんぱく質5g分 93g	塩分 0g たんぱく質 3.8g カリウム 245mg リン 69mg 脂質 2.4g 炭水化物 2.2g 62kcal

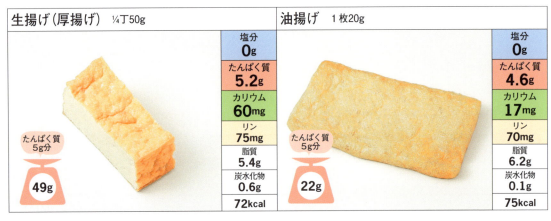

生揚げ（厚揚げ） ¼丁50g		油揚げ 1枚20g	
たんぱく質5g分 49g	塩分 0g たんぱく質 5.2g カリウム 60mg リン 75mg 脂質 5.4g 炭水化物 0.6g 72kcal	たんぱく質5g分 22g	塩分 0g たんぱく質 4.6g カリウム 17mg リン 70mg 脂質 6.2g 炭水化物 0.1g 75kcal

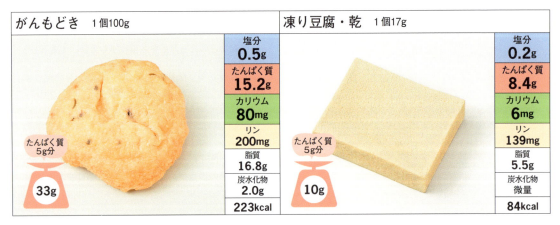

がんもどき 1個100g		凍り豆腐・乾 1個17g	
たんぱく質5g分 33g	塩分 0.5g たんぱく質 15.2g カリウム 80mg リン 200mg 脂質 16.8g 炭水化物 2.0g 223kcal	たんぱく質5g分 10g	塩分 0.2g たんぱく質 8.4g カリウム 6mg リン 139mg 脂質 5.5g 炭水化物 微量 84kcal

主菜になるもの ◎大豆製品

搾る、揚げる、凍らせる、発酵させるなど大豆製品は種類が豊富。
大豆の甘味とうま味を生かすよう、うす味料理を心がけて。

主菜になるもの ◎ 大豆製品

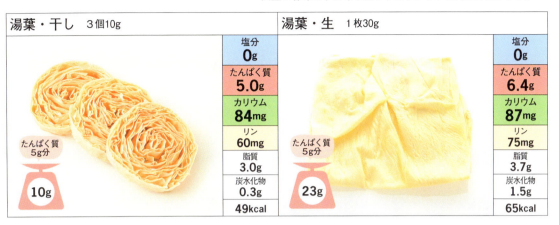

湯葉・干し　3個10g		湯葉・生　1枚30g	
たんぱく質5g分 / 10g	塩分 0g / たんぱく質 5.0g / カリウム 84mg / リン 60mg / 脂質 3.0g / 炭水化物 0.3g / 49kcal	たんぱく質5g分 / 23g	塩分 0g / たんぱく質 6.4g / カリウム 87mg / リン 75mg / 脂質 3.7g / 炭水化物 1.5g / 65kcal

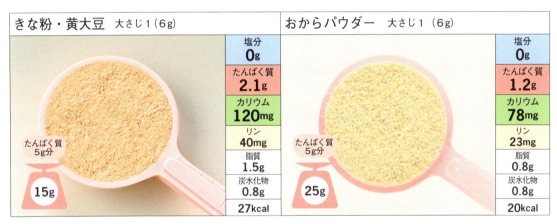

きな粉・黄大豆　大さじ1（6g）		おからパウダー　大さじ1（6g）	
たんぱく質5g分 / 15g	塩分 0g / たんぱく質 2.1g / カリウム 120mg / リン 40mg / 脂質 1.5g / 炭水化物 0.8g / 27kcal	たんぱく質5g分 / 25g	塩分 0g / たんぱく質 1.2g / カリウム 78mg / リン 23mg / 脂質 0.8g / 炭水化物 0.8g / 20kcal

テンペ　45g		ソイミート　20g	
たんぱく質5g分 / 42g	塩分 0g / たんぱく質 5.4g / カリウム 329mg / リン 113mg / 脂質 3.5g / 炭水化物 4.6g / 81kcal	たんぱく質5g分 / 9g	塩分 0.7g / たんぱく質 11.3g / カリウム 54mg / リン 126mg / 脂質 0.7g / 炭水化物 4.8g / 73kcal

冷凍食品

市販の冷凍食品は家庭で作るものより塩分は多めです

イカフライ 1個60g

塩分	0.5g
たんぱく質	6.4g
カリウム	108mg
リン	66mg
脂質	1.2g
炭水化物	12.8g
	88kcal

たんぱく質5g分 47g

油揚げ後は132kcal（吸油量4.8g）

エビフライ 1本25g

塩分	0.2g
たんぱく質	2.6g
カリウム	24mg
リン	23mg
脂質	0.5g
炭水化物	5.1g
	35kcal

たんぱく質5g分 49g

油揚げ後は93kcal（吸油量6.3g）

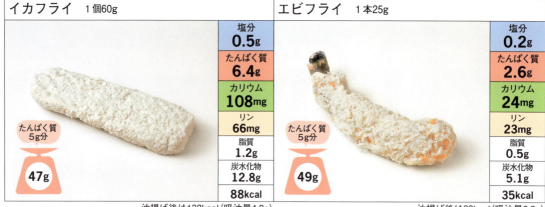

白身魚フライ 1個40g

塩分	0.4g
たんぱく質	4.6g
カリウム	96mg
リン	40mg
脂質	1.1g
炭水化物	7.7g
	59kcal

たんぱく質5g分 43g

油揚げ後は159kcal（吸油量10.8g）

メンチカツ 1個80g

塩分	0.9g
たんぱく質	7.9g
カリウム	176mg
リン	76mg
脂質	5.8g
炭水化物	18.4g
	157kcal

たんぱく質5g分 51g

油揚げ後は245kcal（吸油量9.6g）

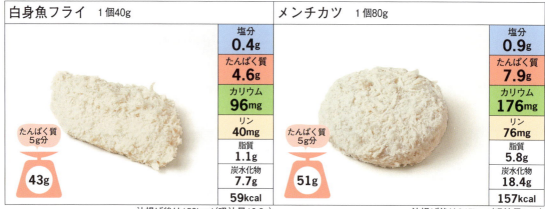

ギョーザ 1個20g

塩分	0.2g
たんぱく質	1.2g
カリウム	34mg
リン	12mg
脂質	2.0g
炭水化物	4.7g
	42kcal

たんぱく質5g分 86g

シューマイ 1個15g

塩分	0.2g
たんぱく質	1.1g
カリウム	39mg
リン	14mg
脂質	1.3g
炭水化物	3.0g
	29kcal

たんぱく質5g分 67g

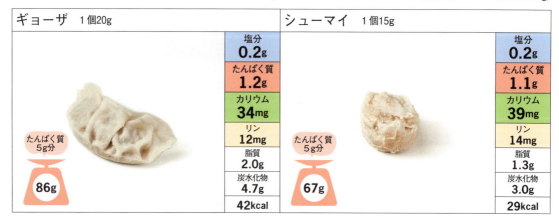

冷凍食品のおかずは、お弁当向きに一口大に作られたものを利用すると量を調整しやすいでしょう。

主菜になるもの ◎冷凍食品

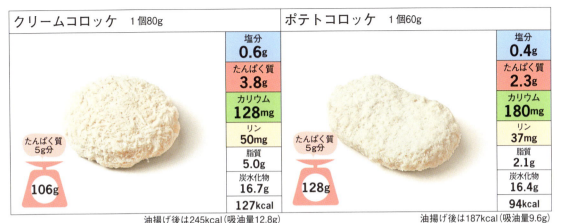

クリームコロッケ 1個80g		ポテトコロッケ 1個60g	
たんぱく質5g分 106g	塩分 0.6g たんぱく質 3.8g カリウム 128mg リン 50mg 脂質 5.0g 炭水化物 16.7g 127kcal	たんぱく質5g分 128g	塩分 0.4g たんぱく質 2.3g カリウム 180mg リン 37mg 脂質 2.1g 炭水化物 16.4g 94kcal

油揚げ後は245kcal（吸油量12.8g）　　　　油揚げ後は187kcal（吸油量9.6g）

エビグラタン 1皿200g		鶏から揚げ（揚げ調理ずみ） 1個25g	
たんぱく質5g分 104g	塩分 2.0g たんぱく質 9.6g カリウム 280mg リン 220mg 脂質 12.8g 炭水化物 24.6g 256kcal	たんぱく質5g分 24g	塩分 0.6g たんぱく質 5.1g カリウム 108mg リン 60mg 脂質 4.3g 炭水化物 4.3g 77kcal

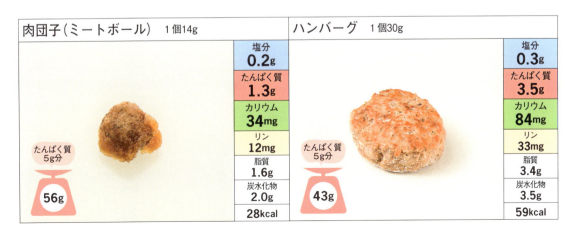

肉団子（ミートボール） 1個14g		ハンバーグ 1個30g	
たんぱく質5g分 56g	塩分 0.2g たんぱく質 1.3g カリウム 34mg リン 12mg 脂質 1.6g 炭水化物 2.0g 28kcal	たんぱく質5g分 43g	塩分 0.3g たんぱく質 3.5g カリウム 84mg リン 33mg 脂質 3.4g 炭水化物 3.5g 59kcal

なにをどれだけ食べたらいいの？

たんぱく質制限が1日40gの場合の目安量です。
朝昼晩の献立を立てるさいの参考に。

主菜になるもの

魚介
1日 50g
（切り身なら小1切れ）
たんぱく質量で10g前後に相当

良質たんぱく質源でビタミンB群やミネラルの供給源。干物や缶詰めはたんぱく質も塩分も多いのでなるべく控えましょう。

肉
1日 40g
たんぱく質量で8g前後に相当

良質たんぱく質源でビタミンB群の摂取源。量を増やしたい場合は適度に脂肪を含むロース肉などを。加工品は塩分やカリウム、リンが多い。

卵
1日 ½〜1個
たんぱく質量で3〜6gに相当

良質のたんぱく質源。ビタミンA、B_1、B_2や鉄も豊富。たんぱく質制限が1日30gの場合も毎日½〜1個とることをおすすめします。

大豆・大豆製品
1日 30〜40g
（豆腐の場合）
たんぱく質量で2〜3gに相当

植物性のたんぱく質源でカルシウムやビタミンB_1などの摂取源。魚や肉、卵がおかずの主役になるので、大豆からのたんぱく質は2〜3gを目安に。

牛乳・乳製品
1日 80g
たんぱく質量で2〜3gに相当

カルシウム源としてとりたい目安。リンも多く、制限がある人は栄養成分調整食品を使っても。クリーム類はたんぱく質が少ないので併用も◎。

副菜になるもの

野菜
1食 80〜100g
1日 250〜300g
（うち緑黄色野菜は100g以下）
たんぱく質量で約4gに相当

野菜にもたんぱく質があります。ブロッコリーや青菜などの緑黄色野菜は栄養価は高いのですが、たんぱく質やカリウムも多いので、少なめに。

芋
1日 40〜50g
たんぱく質量で1g前後に相当

芋はたんぱく質は少ないのですが、カリウムが多いので適量を心がけましょう。

果物
1日 50〜100g
たんぱく質量で0.5〜1gに相当

アボカドやキウイフルーツなど、たんぱく質の多い果物もあります。カリウム制限のある場合は、カリウム量も考えましょう。

主食になるもの

穀物
たんぱく質量で
1日 4〜5g
に相当

ごはん150gでたんぱく質3〜4g。たんぱく質量に合わせて量を減らすとエネルギー不足になるので、たんぱく質調整食品も活用して考えましょう（95ページ）。

食品選び早わかり

副菜になるもの

野菜や海藻、きのこ、芋など、
ビタミン、ミネラル、食物繊維の供給源になる食品です。
加工品や海藻以外は塩分をほとんど含みませんが、
カリウムやたんぱく質も含んでいるため、
食べすぎないように注意が必要です。

緑黄色野菜①

緑黄色野菜にはたんぱく質が多いものもあります

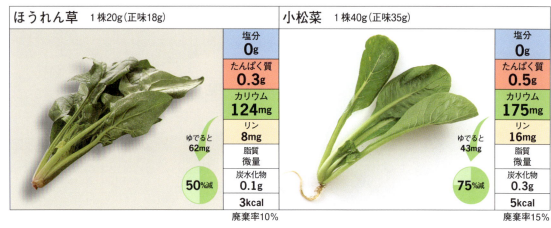

ほうれん草　1株20g（正味18g）
- 塩分 0g
- たんぱく質 0.3g
- カリウム 124mg（ゆでると 62mg）
- リン 8mg
- 脂質 微量
- 炭水化物 0.1g
- 3kcal
- 50%減
- 廃棄率10%

小松菜　1株40g（正味35g）
- 塩分 0g
- たんぱく質 0.5g
- カリウム 175mg（ゆでると 43mg）
- リン 16mg
- 脂質 微量
- 炭水化物 0.3g
- 5kcal
- 75%減
- 廃棄率15%

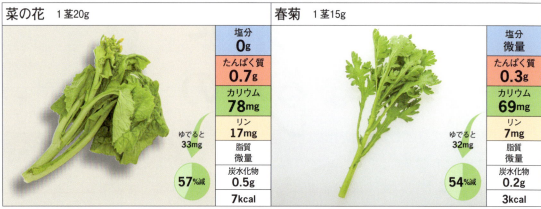

菜の花　1茎20g
- 塩分 0g
- たんぱく質 0.7g
- カリウム 78mg（ゆでると 33mg）
- リン 17mg
- 脂質 微量
- 炭水化物 0.5g
- 7kcal
- 57%減

春菊　1茎15g
- 塩分 微量
- たんぱく質 0.3g
- カリウム 69mg（ゆでると 32mg）
- リン 7mg
- 脂質 微量
- 炭水化物 0.2g
- 3kcal
- 54%減

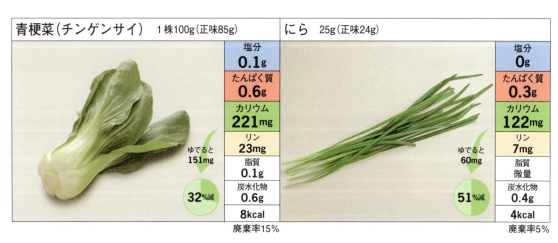

青梗菜（チンゲンサイ）　1株100g（正味85g）
- 塩分 0.1g
- たんぱく質 0.6g
- カリウム 221mg（ゆでると 151mg）
- リン 23mg
- 脂質 0.1g
- 炭水化物 0.6g
- 8kcal
- 32%減
- 廃棄率15%

にら　25g（正味24g）
- 塩分 0g
- たんぱく質 0.3g
- カリウム 122mg（ゆでると 60mg）
- リン 7mg
- 脂質 微量
- 炭水化物 0.4g
- 4kcal
- 51%減
- 廃棄率5%

副菜になるもの ◎緑黄色野菜①

緑黄色野菜にはビタミンが豊富に含まれますが、たんぱく質が多いものもあるので、1日100g以下にしましょう。

副菜になるもの ◎ 緑黄色野菜①

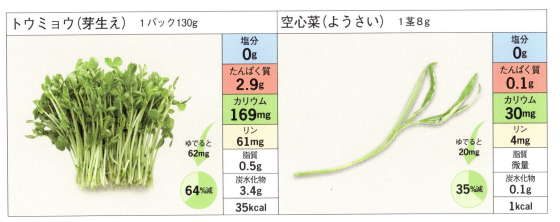

トウミョウ（芽生え） 1パック130g		空心菜（ようさい） 1茎8g	
ゆでると 62mg **64%減**	塩分 0g たんぱく質 2.9g カリウム 169mg リン 61mg 脂質 0.5g 炭水化物 3.4g 35kcal	ゆでると 20mg **35%減**	塩分 0g たんぱく質 0.1g カリウム 30mg リン 4mg 脂質 微量 炭水化物 0.1g 1kcal

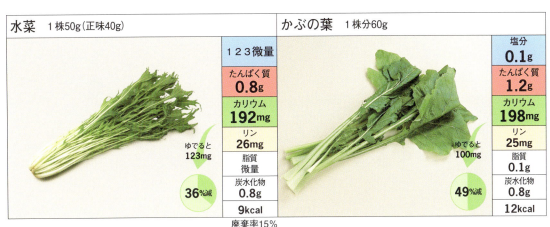

水菜 1株50g（正味40g）		かぶの葉 1株分60g	
ゆでると 123mg **36%減**	１２３微量 たんぱく質 0.8g カリウム 192mg リン 26mg 脂質 微量 炭水化物 0.8g 9kcal	ゆでると 100mg **49%減**	塩分 0.1g たんぱく質 1.2g カリウム 198mg リン 25mg 脂質 0.1g 炭水化物 0.8g 12kcal

廃棄率15%

芽キャベツ 1個10g		サラダ菜 1枚8g	
ゆでると 48mg **21%減**	塩分 0g たんぱく質 0.4g カリウム 61mg リン 7mg 脂質 微量 炭水化物 0.6g 5kcal		塩分 0g たんぱく質 0.1g カリウム 33mg リン 4mg 脂質 微量 炭水化物 0.1g 1kcal

緑黄色野菜②

カリウムはゆでると減少します

副菜になるもの ◎緑黄色野菜②

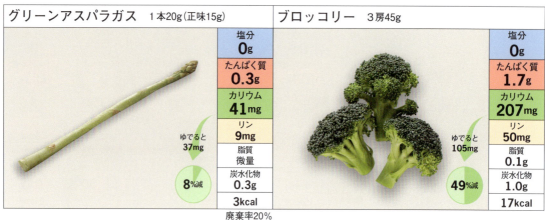

グリーンアスパラガス 1本20g(正味15g)		ブロッコリー 3房45g	
	塩分 0g		塩分 0g
	たんぱく質 0.3g		たんぱく質 1.7g
	カリウム 41mg (ゆでると 37mg 8%減)		カリウム 207mg (ゆでると 105mg 49%減)
	リン 9mg		リン 50mg
	脂質 微量		脂質 0.1g
	炭水化物 0.3g		炭水化物 1.0g
	3kcal		17kcal
廃棄率20%			

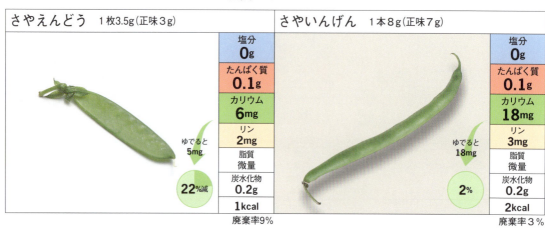

さやえんどう 1枚3.5g(正味3g)		さやいんげん 1本8g(正味7g)	
	塩分 0g		塩分 0g
	たんぱく質 0.1g		たんぱく質 0.1g
	カリウム 6mg (ゆでると 5mg 22%減)		カリウム 18mg (ゆでると 18mg 2%)
	リン 2mg		リン 3mg
	脂質 微量		脂質 微量
	炭水化物 0.2g		炭水化物 0.2g
	1kcal		2kcal
廃棄率9%		廃棄率3%	

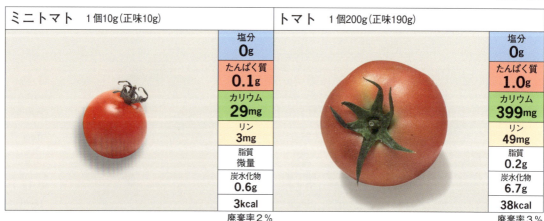

ミニトマト 1個10g(正味10g)		トマト 1個200g(正味190g)	
	塩分 0g		塩分 0g
	たんぱく質 0.1g		たんぱく質 1.0g
	カリウム 29mg		カリウム 399mg
	リン 3mg		リン 49mg
	脂質 微量		脂質 0.2g
	炭水化物 0.6g		炭水化物 6.7g
	3kcal		38kcal
廃棄率2%		廃棄率3%	

野菜はカリウムを多く含みますが、ゆでこぼすと減少します。
細切りや薄切りにして水にさらすことでも減らせます。

副菜になるもの ● 緑黄色野菜②

にんじん　1本150g（正味135g）

塩分	0.1g
たんぱく質	0.8g
カリウム	365mg
リン	34mg
脂質	0.1g
炭水化物	7.7g
	41kcal

ゆでると 282mg　23%減
廃棄率10%

かぼちゃ　¼個300g（正味270g）

塩分	0g
たんぱく質	3.2g
カリウム	1215mg
リン	116mg
脂質	0.5g
炭水化物	42.9g
	211kcal

ゆでると 1138mg　6%減
廃棄率10%

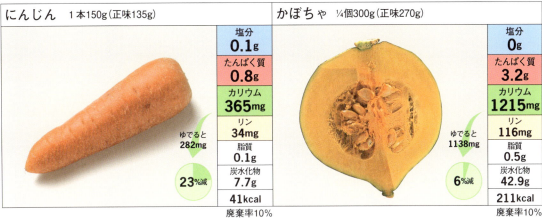

オクラ　1本12g（正味10g）

塩分	0g
たんぱく質	0.2g
カリウム	26mg
リン	6mg
脂質	微量
炭水化物	0.2g
	3kcal

ゆでると 27mg　4%増
廃棄率15%

モロヘイヤ　1茎8g

塩分	0g
たんぱく質	0.3g
カリウム	42mg
リン	9mg
脂質	微量
炭水化物	0.1g
	3kcal

ゆでると 19mg　55%減

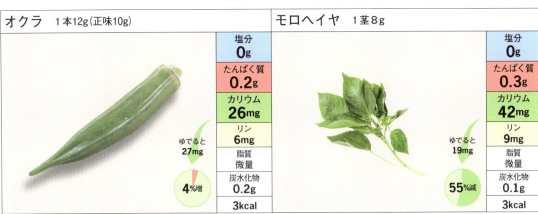

ピーマン　1個30g（正味25g）

塩分	0g
たんぱく質	0.2g
カリウム	48mg
リン	6mg
脂質	微量
炭水化物	0.8g
	5kcal

廃棄率15%

パプリカ・赤　1個150g（正味135g）

塩分	0g
たんぱく質	1.1g
カリウム	284mg
リン	30mg
脂質	0.3g
炭水化物	7.2g
	38kcal

廃棄率10%

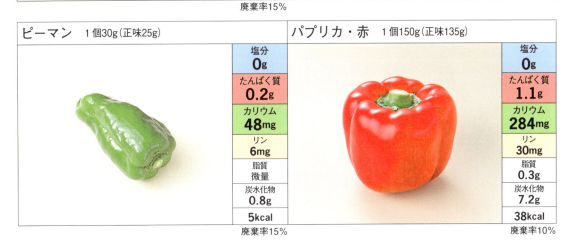

淡色野菜①

加熱して食べやすく。カリウムも減ります

副菜になるもの ○淡色野菜①

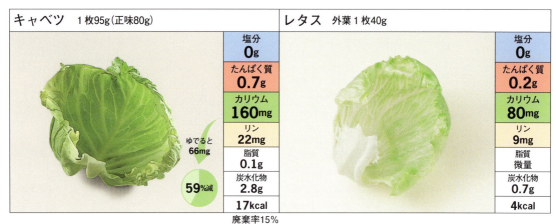

キャベツ 1枚95g（正味80g）		レタス 外葉1枚40g	
塩分	0g	塩分	0g
たんぱく質	0.7g	たんぱく質	0.2g
カリウム	160mg	カリウム	80mg
ゆでると 66mg / 59%減	リン 22mg / 脂質 0.1g / 炭水化物 2.8g / 17kcal		リン 9mg / 脂質 微量 / 炭水化物 0.7g / 4kcal
廃棄率15%			

きゅうり 1本100g（正味100g）		なす 1本80g（正味70g）	
塩分	0g	塩分	0g
たんぱく質	0.7g	たんぱく質	0.5g
カリウム	200mg	カリウム	154mg
	リン 36mg / 脂質 微量 / 炭水化物 1.9g / 13kcal	ゆでると 126mg / 18%減	リン 21mg / 脂質 微量 / 炭水化物 1.8g / 13kcal
廃棄率2%		廃棄率10%	

白菜 1枚150g		大根 5cm 200g（正味180g）	
塩分	0g	塩分	0g
たんぱく質	0.9g	たんぱく質	0.5g
カリウム	330mg	カリウム	414mg
ゆでると 173mg / 48%減	リン 50mg / 脂質 微量 / 炭水化物 3.0g / 20kcal	ゆでると 325mg / 21%減	リン 31mg / 脂質 微量 / 炭水化物 5.0g / 27kcal
廃棄率6%		廃棄率10%	

加熱できるものはゆでるとかさが減って食べやすくなり、カリウムも減らせます。香味野菜はうす味を補ってくれます。

副菜になるもの ○淡色野菜①

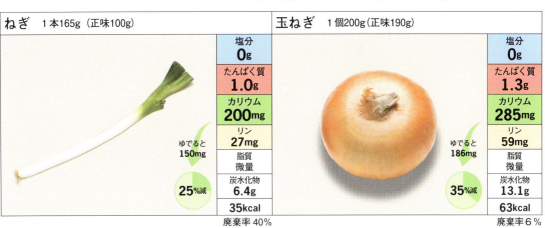

ねぎ 1本165g（正味100g）
- 塩分 0g
- たんぱく質 1.0g
- カリウム 200mg（ゆでると 150mg、25%減）
- リン 27mg
- 脂質 微量
- 炭水化物 6.4g
- 35kcal
- 廃棄率40%

玉ねぎ 1個200g（正味190g）
- 塩分 0g
- たんぱく質 1.3g
- カリウム 285mg（ゆでると 186mg、35%減）
- リン 59mg
- 脂質 微量
- 炭水化物 13.1g
- 63kcal
- 廃棄率6%

とうもろこし 1本300g（正味150g）
- 塩分 0g
- たんぱく質 4.1g
- カリウム 435mg（ゆでると 479mg、10%増）
- リン 150mg
- 脂質 2.0g
- 炭水化物 22.2g
- 134kcal
- 廃棄率50%

セロリ 1本100g（正味65g）
- 塩分 0.1g
- たんぱく質 0.3g
- カリウム 267mg
- リン 25mg
- 脂質 0.1g
- 炭水化物 0.8g
- 8kcal
- 廃棄率35%

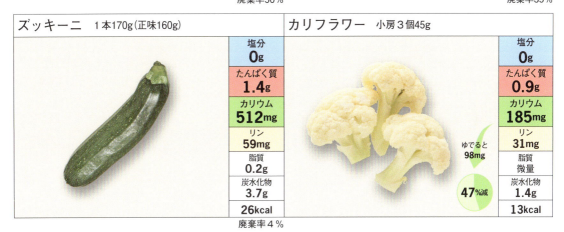

ズッキーニ 1本170g（正味160g）
- 塩分 0g
- たんぱく質 1.4g
- カリウム 512mg
- リン 59mg
- 脂質 0.2g
- 炭水化物 3.7g
- 26kcal
- 廃棄率4%

カリフラワー 小房3個45g
- 塩分 0g
- たんぱく質 0.9g
- カリウム 185mg（ゆでると 98mg、47%減）
- リン 31mg
- 脂質 微量
- 炭水化物 1.4g
- 13kcal

淡色野菜②

根菜、豆野菜はたんぱく質が多めです

副菜になるもの ○淡色野菜②

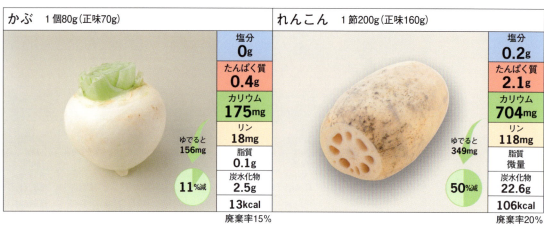

かぶ　1個80g（正味70g）
- 塩分 0g
- たんぱく質 0.4g
- カリウム 175mg
- リン 18mg
- 脂質 0.1g
- 炭水化物 2.5g
- 13kcal
- ゆでると 156mg
- 11%減
- 廃棄率15%

れんこん　1節200g（正味160g）
- 塩分 0.2g
- たんぱく質 2.1g
- カリウム 704mg
- リン 118mg
- 脂質 微量
- 炭水化物 22.6g
- 106kcal
- ゆでると 349mg
- 50%減
- 廃棄率20%

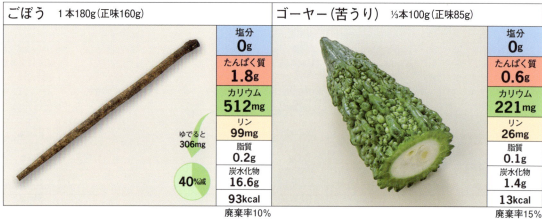

ごぼう　1本180g（正味160g）
- 塩分 0g
- たんぱく質 1.8g
- カリウム 512mg
- リン 99mg
- 脂質 0.2g
- 炭水化物 16.6g
- 93kcal
- ゆでると 306mg
- 40%減
- 廃棄率10%

ゴーヤー（苦うり）　1/3本100g（正味85g）
- 塩分 0g
- たんぱく質 0.6g
- カリウム 221mg
- リン 26mg
- 脂質 0.1g
- 炭水化物 1.4g
- 13kcal
- 廃棄率15%

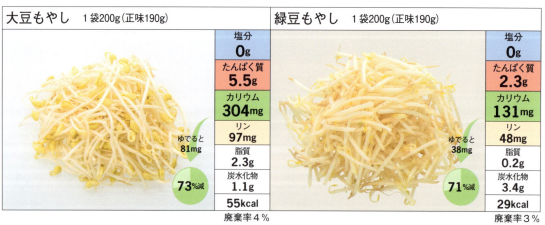

大豆もやし　1袋200g（正味190g）
- 塩分 0g
- たんぱく質 5.5g
- カリウム 304mg
- リン 97mg
- 脂質 2.3g
- 炭水化物 1.1g
- 55kcal
- ゆでると 81mg
- 73%減
- 廃棄率4%

緑豆もやし　1袋200g（正味190g）
- 塩分 0g
- たんぱく質 2.3g
- カリウム 131mg
- リン 48mg
- 脂質 0.2g
- 炭水化物 3.4g
- 29kcal
- ゆでると 38mg
- 71%減
- 廃棄率3%

きんぴらやいため煮のときも、下ゆでしてから調理するとカリウムが減ります。切って水にさらすだけでも効果的。

副菜になるもの ◎ 淡色野菜②

スナップえんどう　1個11g（正味10g）

- 塩分　0g
- たんぱく質　0.2g
- カリウム　16mg
- リン　6mg
- 脂質　微量
- 炭水化物　0.9g
- 5kcal

廃棄率5％

グリーンピース　むき身10個10g

- 塩分　0g
- たんぱく質　0.5g
- カリウム　34mg
- リン　12mg
- 脂質　微量
- 炭水化物　1.0g
- 8kcal

ゆでると30mg　12％減

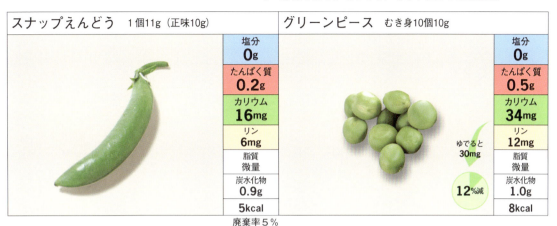

そら豆　3粒12g（正味9g）

- 塩分　0g
- たんぱく質　0.7g
- カリウム　40mg
- リン　20mg
- 脂質　微量
- 炭水化物　1.4g
- 9kcal

ゆでると35mg　11％減

廃棄率25％

枝豆　さやつき30g（正味15g）

- 塩分　0g
- たんぱく質　1.5g
- カリウム　89mg
- リン　26mg
- 脂質　0.9g
- 炭水化物　0.9g
- 19kcal

ゆでると71mg　20％減

廃棄率45％

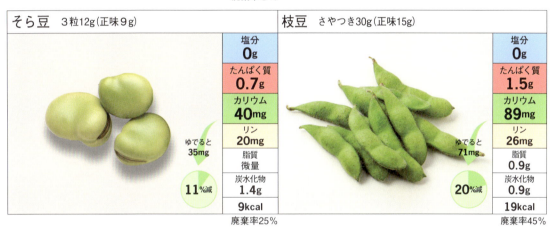

ラディッシュ　1個10g（正味7g）

- 塩分　0g
- たんぱく質　微量
- カリウム　15mg
- リン　3mg
- 脂質　微量
- 炭水化物　0.1g
- 1kcal

廃棄率25％

パプリカ・黄　1個150g（正味135g）

- 塩分　0g
- たんぱく質　0.8g
- カリウム　270mg
- リン　28mg
- 脂質　0.1g
- 炭水化物　7.7g
- 38kcal

廃棄率10％

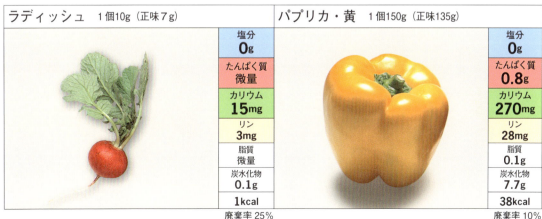

季節もの・乾物・缶詰め

香味野菜は少量で季節を感じましょう

副菜になるもの ◎季節もの・乾物・缶詰め

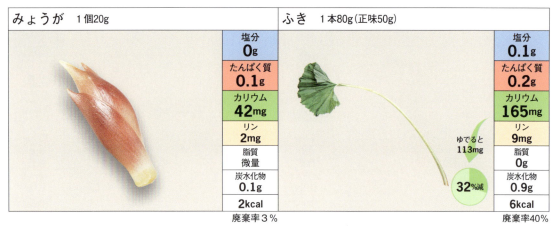

みょうが 1個20g		ふき 1本80g(正味50g)	
塩分	0g	塩分	0.1g
たんぱく質	0.1g	たんぱく質	0.2g
カリウム	42mg	カリウム	165mg
リン	2mg	リン	9mg
脂質	微量	脂質	0g
炭水化物	0.1g	炭水化物	0.9g
	2kcal		6kcal

ゆでると 113mg　32%減

廃棄率3%　　廃棄率40%

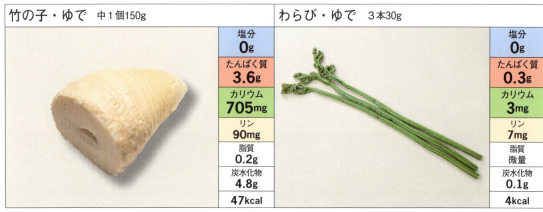

竹の子・ゆで 中1個150g		わらび・ゆで 3本30g	
塩分	0g	塩分	0g
たんぱく質	3.6g	たんぱく質	0.3g
カリウム	705mg	カリウム	3mg
リン	90mg	リン	7mg
脂質	0.2g	脂質	微量
炭水化物	4.8g	炭水化物	0.1g
	47kcal		4kcal

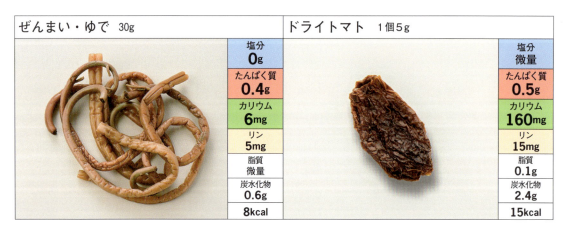

ぜんまい・ゆで 30g		ドライトマト 1個5g	
塩分	0g	塩分	微量
たんぱく質	0.4g	たんぱく質	0.5g
カリウム	6mg	カリウム	160mg
リン	5mg	リン	15mg
脂質	微量	脂質	0.1g
炭水化物	0.6g	炭水化物	2.4g
	8kcal		15kcal

トマト、コーンはカリウムが多いので、カリウム制限がある場合は控えましょう。切り干し大根はもどすことでもカリウム減に。

副菜になるもの ●季節もの・乾物・缶詰め

切り干し大根 10g

塩分	0.1g
たんぱく質	0.7g
カリウム	350mg (ゆでると 35mg、90%減)
リン	22mg
脂質	微量
炭水化物	5.1g
	28kcal

かんぴょう 20cm 1g

塩分	0g
たんぱく質	微量
カリウム	18mg (ゆでると 5mg、71%減)
リン	1mg
脂質	微量
炭水化物	0.4g
	2kcal

アスパラガス・水煮缶詰め 1本10g

塩分	0.1g
たんぱく質	0.2g
カリウム	17mg
リン	4mg
脂質	微量
炭水化物	0.3g
	2kcal

トマト・水煮缶詰め・食塩無添加 1カップ200g

塩分	0g
たんぱく質	1.8g
カリウム	480mg
リン	52mg
脂質	0.2g
炭水化物	7.2g
	42kcal

スイートコーン・ホール缶詰め 1カップ150g

塩分	0.8g
たんぱく質	3.3g
カリウム	195mg
リン	60mg
脂質	0.8g
炭水化物	22.1g
	117kcal

スイートコーン・クリーム缶詰め 1カップ220g

塩分	1.5g
たんぱく質	3.3g
カリウム	330mg
リン	101mg
脂質	1.1g
炭水化物	37.4g
	180kcal

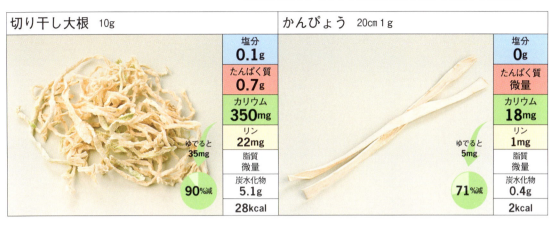
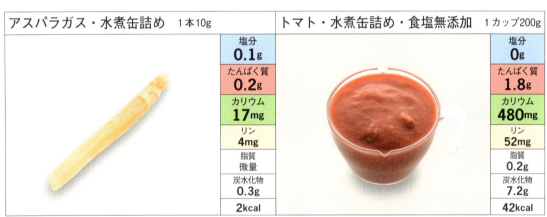
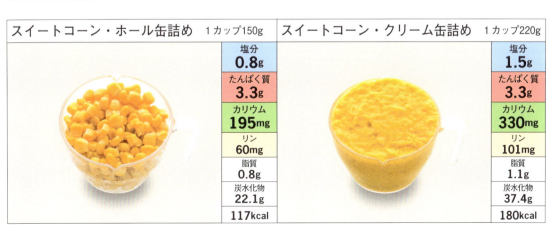

副菜になるもの ◎きのこ

きのこ

ビタミンB₁、ビタミンB₂、食物繊維が豊富です

えのきたけ　小1袋100g（正味85g）

塩分	0g
たんぱく質	1.4g
カリウム	289mg
リン	94mg
脂質	0.1g
炭水化物	4.1g
	29kcal

ゆでると 197mg　32%減
廃棄率15%

エリンギ　1本40g（正味38g）

塩分	0g
たんぱく質	0.6g
カリウム	129mg
リン	34mg
脂質	0.1g
炭水化物	1.4g
	12kcal

ゆでると 75mg　42%減
廃棄率6%

ひらたけ　大1パック100g（正味92g）

塩分	0g
たんぱく質	1.9g
カリウム	313mg
リン	92mg
脂質	0.1g
炭水化物	4.4g
	31kcal

廃棄率8%

ぶなしめじ　小1パック100g（正味90g）

塩分	0g
たんぱく質	1.4g
カリウム	333mg
リン	86mg
脂質	0.2g
炭水化物	2.3g
	23kcal

ゆでると 222mg　33%減
廃棄率10%

まいたけ　1パック100g（正味90g）

塩分	0g
たんぱく質	1.1g
カリウム	207mg
リン	49mg
脂質	0.3g
炭水化物	1.6g
	20kcal

ゆでると 85mg　59%減
廃棄率10%

なめこ　1袋100g

塩分	0g
たんぱく質	0.7g
カリウム	130mg
リン	36mg
脂質	0.1g
炭水化物	1.8g
	14kcal

食物繊維は動脈硬化予防になりますが、きのこ類はたんぱく質、カリウムも多い。海藻類（もどしたもの）と合わせ1日30gを目安量に。

副菜になるもの ◎きのこ

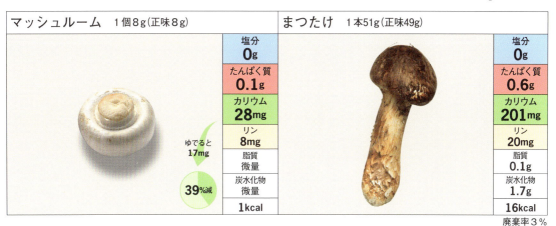

マッシュルーム　1個8g（正味8g）
- 塩分 0g
- たんぱく質 0.1g
- カリウム 28mg
- リン 8mg
- 脂質 微量
- 炭水化物 微量
- 1kcal
- ゆでると 17mg
- 39%減

まつたけ　1本51g（正味49g）
- 塩分 0g
- たんぱく質 0.6g
- カリウム 201mg
- リン 20mg
- 脂質 0.1g
- 炭水化物 1.7g
- 16kcal
- 廃棄率3%

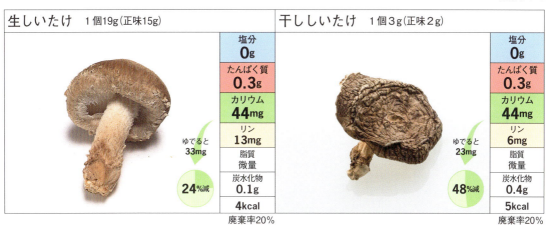

生しいたけ　1個19g（正味15g）
- 塩分 0g
- たんぱく質 0.3g
- カリウム 44mg
- リン 13mg
- 脂質 微量
- 炭水化物 0.1g
- 4kcal
- ゆでると 33mg
- 24%減
- 廃棄率20%

干ししいたけ　1個3g（正味2g）
- 塩分 0g
- たんぱく質 0.3g
- カリウム 44mg
- リン 6mg
- 脂質 微量
- 炭水化物 0.4g
- 5kcal
- ゆでると 23mg
- 48%減
- 廃棄率20%

きくらげ・乾　5枚2g
- 塩分 微量
- たんぱく質 0.1g
- カリウム 20mg
- リン 5mg
- 脂質 微量
- 炭水化物 0.3g
- 4kcal
- ゆでると 7mg
- 63%減

あらげきくらげ・乾　1個7g
- 塩分 微量
- たんぱく質 0.3g
- カリウム 44mg
- リン 8mg
- 脂質 微量
- 炭水化物 0.1g
- 13kcal
- ゆでると 26mg
- 42%減

海藻

副菜になるもの ◎海藻

海産物なので塩分が多く含まれます

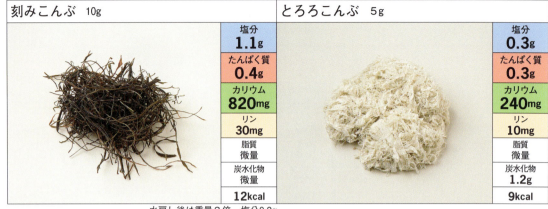

刻みこんぶ 10g
- 塩分 1.1g
- たんぱく質 0.4g
- カリウム 820mg
- リン 30mg
- 脂質 微量
- 炭水化物 微量
- 12kcal

水戻し後は重量3倍、塩分0.2g

とろろこんぶ 5g
- 塩分 0.3g
- たんぱく質 0.3g
- カリウム 240mg
- リン 10mg
- 脂質 微量
- 炭水化物 1.2g
- 9kcal

カットわかめ 2g
- 塩分 0.5g
- たんぱく質 0.3g
- カリウム 9mg
- リン 6mg（ゆでると 4mg 59%減）
- 脂質 微量
- 炭水化物 0.2g
- 4kcal

水戻し後は重量12倍、塩分0.1g

湯通し塩蔵わかめ・塩抜き 30g
- 塩分 0.4g
- たんぱく質 0.4g
- カリウム 3mg
- リン 9mg（ゆでると 2mg 50%減）
- 脂質 0.1g
- 炭水化物 0.3g
- 5kcal

芽かぶわかめ・生 30g
- 塩分 0.1g
- たんぱく質 0.2g
- カリウム 26mg
- リン 8mg
- 脂質 0.2g
- 炭水化物 0g
- 4kcal

長ひじき 5g
- 塩分 0.2g
- たんぱく質 0.4g
- カリウム 320mg
- リン 5mg（ゆでると 79mg 75%減）
- 脂質 0.1g
- 炭水化物 0.3g
- 9kcal

水戻し後は重量4.5倍、塩分微量

食物繊維が豊富ですが、量のわりにたんぱく質も塩分も多い。
もどした状態できのこ類と合わせて1日30gが目安です。

副菜になるもの ◎海藻

焼きのり 全型1枚3g	味つけのり 小5枚3.5g
塩分 微量	塩分 0.2g
たんぱく質 1.0g	たんぱく質 1.1g
カリウム 72mg	カリウム 95mg
リン 21mg	リン 25mg
脂質 0.1g	脂質 0.1g
炭水化物 0.6g	炭水化物 0.9g
9kcal	11kcal

韓国のり 5枚4.5g	青のり 小さじ1 (0.4g)
塩分 0.1g	塩分 微量
たんぱく質 0.6g	たんぱく質 0.1g
カリウム 未測定	カリウム 10mg
リン 未測定	リン 2mg
脂質 0.5g	脂質 微量
炭水化物 0.7g	炭水化物 0.1g
10kcal	1kcal

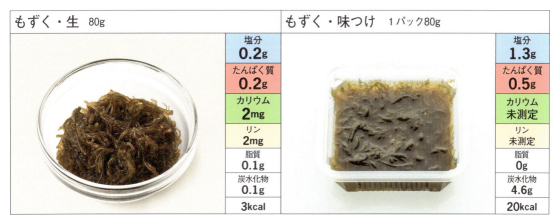

もずく・生 80g	もずく・味つけ 1パック80g
塩分 0.2g	塩分 1.3g
たんぱく質 0.2g	たんぱく質 0.5g
カリウム 2mg	カリウム 未測定
リン 2mg	リン 未測定
脂質 0.1g	脂質 0g
炭水化物 0.1g	炭水化物 4.6g
3kcal	20kcal

副菜になるもの ● 芋・芋加工品

芋・芋加工品

主成分はでんぷん質ですが、たんぱく質も含まれます

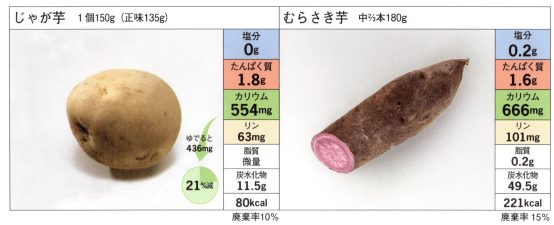

じゃが芋 1個150g（正味135g）
- 塩分 0g
- たんぱく質 1.8g
- カリウム 554mg（ゆでると 436mg 21%減）
- リン 63mg
- 脂質 微量
- 炭水化物 11.5g
- 80kcal
- 廃棄率10%

むらさき芋 中2/3本180g
- 塩分 0.2g
- たんぱく質 1.6g
- カリウム 666mg
- リン 101mg
- 脂質 0.2g
- 炭水化物 49.5g
- 221kcal
- 廃棄率15%

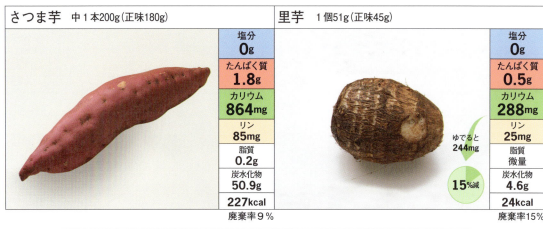

さつま芋 中1本200g（正味180g）
- 塩分 0g
- たんぱく質 1.8g
- カリウム 864mg
- リン 85mg
- 脂質 0.2g
- 炭水化物 50.9g
- 227kcal
- 廃棄率9%

里芋 1個51g（正味45g）
- 塩分 0g
- たんぱく質 0.5g
- カリウム 288mg（ゆでると 244mg 15%減）
- リン 25mg
- 脂質 微量
- 炭水化物 4.6g
- 24kcal
- 廃棄率15%

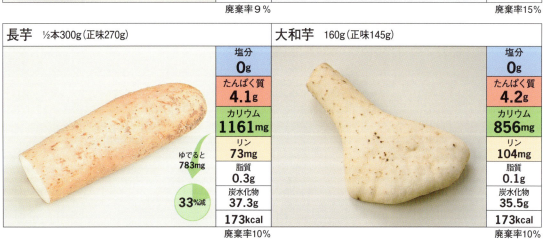

長芋 1/2本300g（正味270g）
- 塩分 0g
- たんぱく質 4.1g
- カリウム 1161mg（ゆでると 783mg 33%減）
- リン 73mg
- 脂質 0.3g
- 炭水化物 37.3g
- 173kcal
- 廃棄率10%

大和芋 160g（正味145g）
- 塩分 0g
- たんぱく質 4.2g
- カリウム 856mg
- リン 104mg
- 脂質 0.1g
- 炭水化物 35.5g
- 173kcal
- 廃棄率10%

さつま芋のほうがじゃが芋よりもたんぱく質は少なく、エネルギーはとれます。芋はカリウムも少なくありません。

副菜になるもの ◎芋・芋加工品

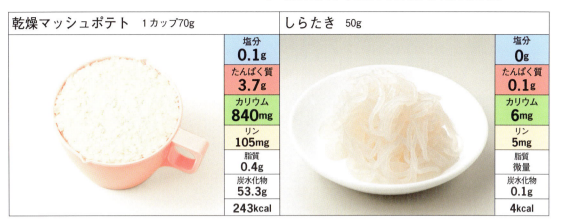

乾燥マッシュポテト　1カップ70g
- 塩分 0.1g
- たんぱく質 3.7g
- カリウム 840mg
- リン 105mg
- 脂質 0.4g
- 炭水化物 53.3g
- 243kcal

しらたき　50g
- 塩分 0g
- たんぱく質 0.1g
- カリウム 6mg
- リン 5mg
- 脂質 微量
- 炭水化物 0.1g
- 4kcal

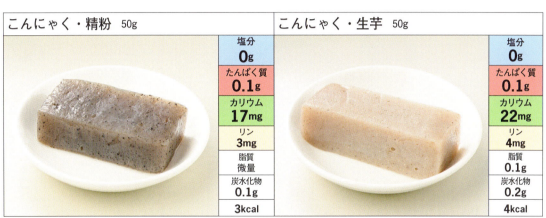

こんにゃく・精粉　50g
- 塩分 0g
- たんぱく質 0.1g
- カリウム 17mg
- リン 3mg
- 脂質 微量
- 炭水化物 0.1g
- 3kcal

こんにゃく・生芋　50g
- 塩分 0g
- たんぱく質 0.1g
- カリウム 22mg
- リン 4mg
- 脂質 0.1g
- 炭水化物 0.2g
- 4kcal

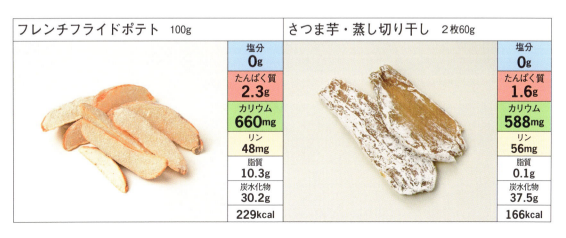

フレンチフライドポテト　100g
- 塩分 0g
- たんぱく質 2.3g
- カリウム 660mg
- リン 48mg
- 脂質 10.3g
- 炭水化物 30.2g
- 229kcal

さつま芋・蒸し切り干し　2枚60g
- 塩分 0g
- たんぱく質 1.6g
- カリウム 588mg
- リン 56mg
- 脂質 0.1g
- 炭水化物 37.5g
- 166kcal

漬物

副菜になるもの ◎ 漬物

栄養表示の塩分を確認しましょう

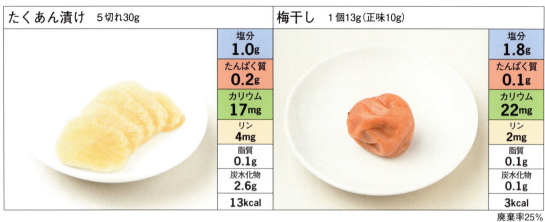

たくあん漬け　5切れ30g
- 塩分 1.0g
- たんぱく質 0.2g
- カリウム 17mg
- リン 4mg
- 脂質 0.1g
- 炭水化物 2.6g
- 13kcal

梅干し　1個13g(正味10g)
- 塩分 1.8g
- たんぱく質 0.1g
- カリウム 22mg
- リン 2mg
- 脂質 0.1g
- 炭水化物 0.1g
- 3kcal
- 廃棄率25%

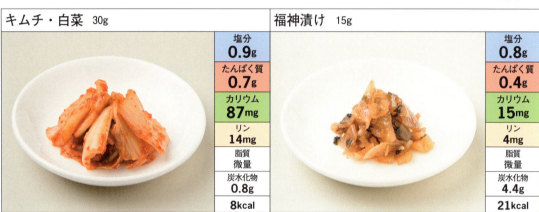

キムチ・白菜　30g
- 塩分 0.9g
- たんぱく質 0.7g
- カリウム 87mg
- リン 14mg
- 脂質 微量
- 炭水化物 0.8g
- 8kcal

福神漬け　15g
- 塩分 0.8g
- たんぱく質 0.4g
- カリウム 15mg
- リン 4mg
- 脂質 微量
- 炭水化物 4.4g
- 21kcal

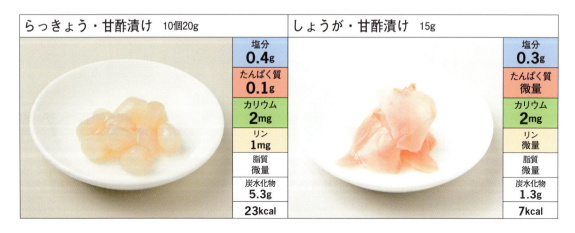

らっきょう・甘酢漬け　10個20g
- 塩分 0.4g
- たんぱく質 0.1g
- カリウム 2mg
- リン 1mg
- 脂質 微量
- 炭水化物 5.3g
- 23kcal

しょうが・甘酢漬け　15g
- 塩分 0.3g
- たんぱく質 微量
- カリウム 2mg
- リン 微量
- 脂質 微量
- 炭水化物 1.3g
- 7kcal

そのまま食べるより、調味料の代わりと考えて。少量の漬物をゆで野菜とあえるなど、塩分を生かした方法で楽しみましょう。

副菜になるもの ◎ 漬物

メンマ・味つけ 20g	ザーサイ・味つけ 15g
塩分 0.8g	塩分 1.0g
たんぱく質 0.4g	たんぱく質 0.3g
カリウム 未測定	カリウム 未測定
リン 未測定	リン 未測定
脂質 0.5g	脂質 0.3g
炭水化物 2.1g	炭水化物 1.2g
13kcal	8kcal

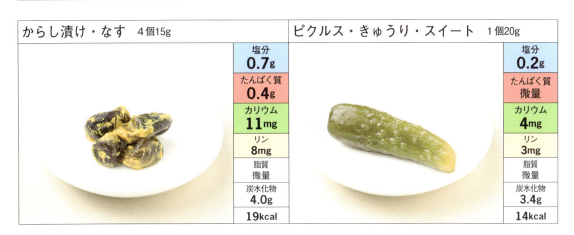

からし漬け・なす 4個15g	ピクルス・きゅうり・スイート 1個20g
塩分 0.7g	塩分 0.2g
たんぱく質 0.4g	たんぱく質 微量
カリウム 11mg	カリウム 4mg
リン 8mg	リン 3mg
脂質 微量	脂質 微量
炭水化物 4.0g	炭水化物 3.4g
19kcal	14kcal

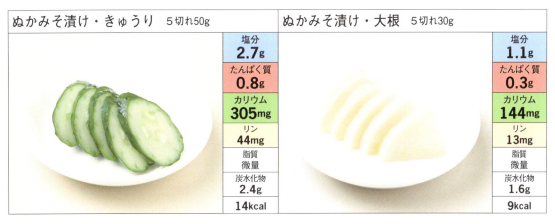

ぬかみそ漬け・きゅうり 5切れ50g	ぬかみそ漬け・大根 5切れ30g
塩分 2.7g	塩分 1.1g
たんぱく質 0.8g	たんぱく質 0.3g
カリウム 305mg	カリウム 144mg
リン 44mg	リン 13mg
脂質 微量	脂質 微量
炭水化物 2.4g	炭水化物 1.6g
14kcal	9kcal

副菜になるもの ◎つくだ煮・塩辛

つくだ煮・塩辛

たんぱく質、塩分ともに多く含まれます

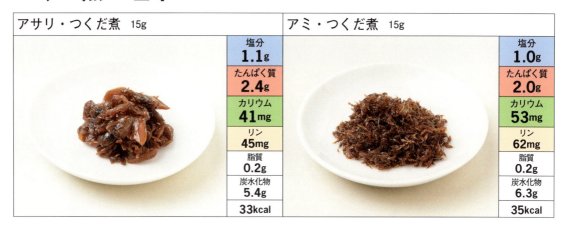

アサリ・つくだ煮 15g
- 塩分 1.1g
- たんぱく質 2.4g
- カリウム 41mg
- リン 45mg
- 脂質 0.2g
- 炭水化物 5.4g
- 33kcal

アミ・つくだ煮 15g
- 塩分 1.0g
- たんぱく質 2.0g
- カリウム 53mg
- リン 62mg
- 脂質 0.2g
- 炭水化物 6.3g
- 35kcal

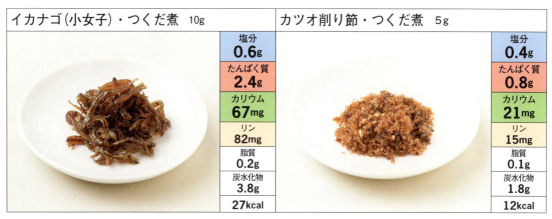

イカナゴ（小女子）・つくだ煮 10g
- 塩分 0.6g
- たんぱく質 2.4g
- カリウム 67mg
- リン 82mg
- 脂質 0.2g
- 炭水化物 3.8g
- 27kcal

カツオ削り節・つくだ煮 5g
- 塩分 0.4g
- たんぱく質 0.8g
- カリウム 21mg
- リン 15mg
- 脂質 0.1g
- 炭水化物 1.8g
- 12kcal

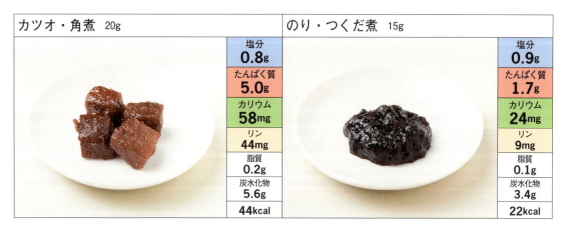

カツオ・角煮 20g
- 塩分 0.8g
- たんぱく質 5.0g
- カリウム 58mg
- リン 44mg
- 脂質 0.2g
- 炭水化物 5.6g
- 44kcal

のり・つくだ煮 15g
- 塩分 0.9g
- たんぱく質 1.7g
- カリウム 24mg
- リン 9mg
- 脂質 0.1g
- 炭水化物 3.4g
- 22kcal

イカの塩辛は写真の¼量（5g）で塩分は約0.3g。塩分摂取量を1日6g未満におさえるためには塩辛やつくだ煮は控えましょう。

副菜になるもの ◎つくだ煮・塩辛

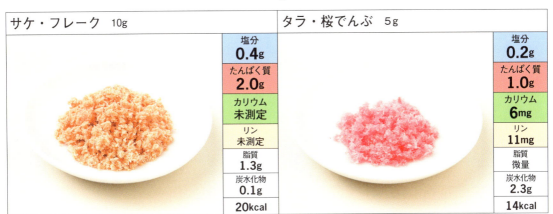

サケ・フレーク 10g	タラ・桜でんぶ 5g
塩分 0.4g／たんぱく質 2.0g／カリウム 未測定／リン 未測定／脂質 1.3g／炭水化物 0.1g／20kcal	塩分 0.2g／たんぱく質 1.0g／カリウム 6mg／リン 11mg／脂質 微量／炭水化物 2.3g／14kcal

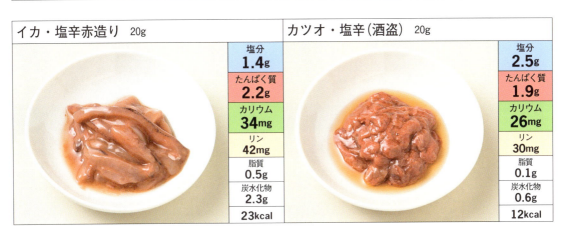

イカ・塩辛赤造り 20g	カツオ・塩辛（酒盗） 20g
塩分 1.4g／たんぱく質 2.2g／カリウム 34mg／リン 42mg／脂質 0.5g／炭水化物 2.3g／23kcal	塩分 2.5g／たんぱく質 1.9g／カリウム 26mg／リン 30mg／脂質 0.1g／炭水化物 0.6g／12kcal

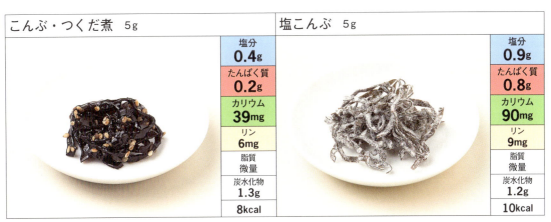

こんぶ・つくだ煮 5g	塩こんぶ 5g
塩分 0.4g／たんぱく質 0.2g／カリウム 39mg／リン 6mg／脂質 微量／炭水化物 1.3g／8kcal	塩分 0.9g／たんぱく質 0.8g／カリウム 90mg／リン 9mg／脂質 微量／炭水化物 1.2g／10kcal

副菜になるもの ○ゆで豆・豆の甘煮

ゆで豆・豆の甘煮

少量でもたんぱく質の量に注意したい

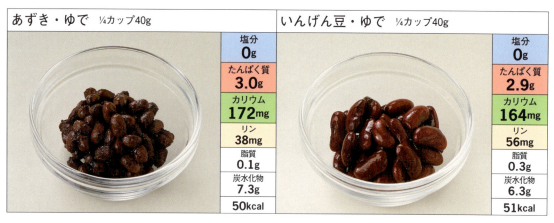

あずき・ゆで ¼カップ40g
- 塩分 0g
- たんぱく質 3.0g
- カリウム 172mg
- リン 38mg
- 脂質 0.1g
- 炭水化物 7.3g
- 50kcal

いんげん豆・ゆで ¼カップ40g
- 塩分 0g
- たんぱく質 2.9g
- カリウム 164mg
- リン 56mg
- 脂質 0.3g
- 炭水化物 6.3g
- 51kcal

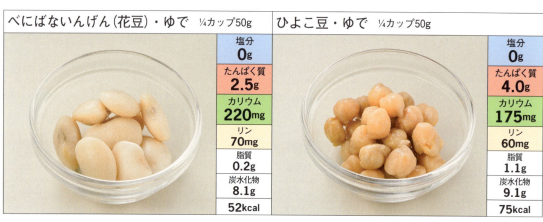

べにばないんげん（花豆）・ゆで ¼カップ50g
- 塩分 0g
- たんぱく質 2.5g
- カリウム 220mg
- リン 70mg
- 脂質 0.2g
- 炭水化物 8.1g
- 52kcal

ひよこ豆・ゆで ¼カップ50g
- 塩分 0g
- たんぱく質 4.0g
- カリウム 175mg
- リン 60mg
- 脂質 1.1g
- 炭水化物 9.1g
- 75kcal

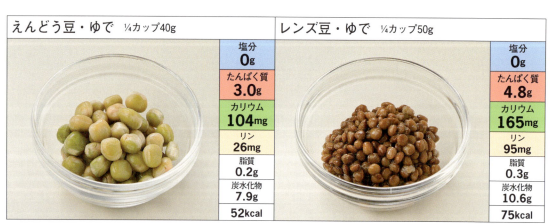

えんどう豆・ゆで ¼カップ40g
- 塩分 0g
- たんぱく質 3.0g
- カリウム 104mg
- リン 26mg
- 脂質 0.2g
- 炭水化物 7.9g
- 52kcal

レンズ豆・ゆで ¼カップ50g
- 塩分 0g
- たんぱく質 4.8g
- カリウム 165mg
- リン 95mg
- 脂質 0.3g
- 炭水化物 10.6g
- 75kcal

黒豆は大豆なのでほかの豆に比べてたんぱく質が多くなります。
煮豆のほうがカリウムが少なく、少量でエネルギーが補えます。

副菜になるもの ○ゆで豆・豆の甘煮

ゆであずき・缶詰め 30g
- 塩分 0.1g
- たんぱく質 1.1g
- カリウム 48mg
- リン 24mg
- 脂質 0.1g
- 炭水化物 13.5g
- 61kcal

こしあん・あずき 30g
- 塩分 0g
- たんぱく質 1.5g
- カリウム 11mg
- リン 15mg
- 脂質 微量
- 炭水化物 17.0g
- 77kcal

加糖あん（並あん）

うぐいす豆 煮豆 30g
- 塩分 0.1g
- たんぱく質 1.4g
- カリウム 30mg
- リン 39mg
- 脂質 0.1g
- 炭水化物 14.7g
- 68kcal

おたふく豆 煮豆 30g
- 塩分 0.1g
- たんぱく質 1.8g
- カリウム 33mg
- リン 42mg
- 脂質 0.2g
- 炭水化物 14.6g
- 71kcal

きんとき豆 煮豆 30g
- 塩分 0.2g
- たんぱく質 2.2g
- カリウム 62mg
- リン 39mg
- 脂質 0.2g
- 炭水化物 10.6g
- 49kcal

黒豆 煮豆 30g
- 塩分 0.2g
- たんぱく質 3.2g
- カリウム 55mg
- リン 54mg
- 脂質 1.2g
- 炭水化物 10.4g
- 62kcal

副菜になるもの ◯種実

種実

味がついたものは高塩分です

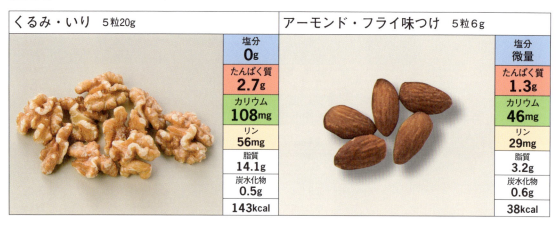

くるみ・いり　5粒20g
- 塩分 0g
- たんぱく質 2.7g
- カリウム 108mg
- リン 56mg
- 脂質 14.1g
- 炭水化物 0.5g
- 143kcal

アーモンド・フライ味つけ　5粒6g
- 塩分 微量
- たんぱく質 1.3g
- カリウム 46mg
- リン 29mg
- 脂質 3.2g
- 炭水化物 0.6g
- 38kcal

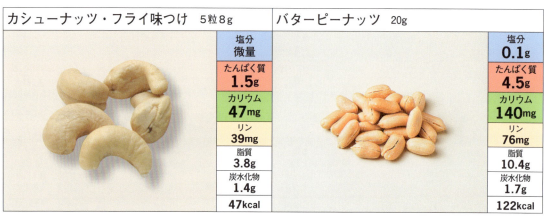

カシューナッツ・フライ味つけ　5粒8g
- 塩分 微量
- たんぱく質 1.5g
- カリウム 47mg
- リン 39mg
- 脂質 3.8g
- 炭水化物 1.4g
- 47kcal

バターピーナッツ　20g
- 塩分 0.1g
- たんぱく質 4.5g
- カリウム 140mg
- リン 76mg
- 脂質 10.4g
- 炭水化物 1.7g
- 122kcal

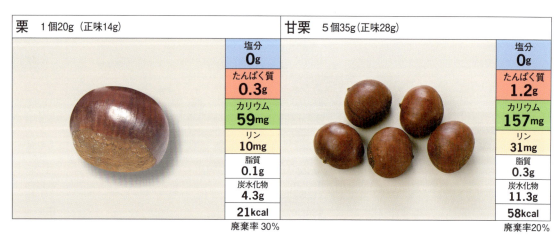

栗　1個20g（正味14g）
- 塩分 0g
- たんぱく質 0.3g
- カリウム 59mg
- リン 10mg
- 脂質 0.1g
- 炭水化物 4.3g
- 21kcal
- 廃棄率 30%

甘栗　5個35g（正味28g）
- 塩分 0g
- たんぱく質 1.2g
- カリウム 157mg
- リン 31mg
- 脂質 0.3g
- 炭水化物 11.3g
- 58kcal
- 廃棄率 20%

脂質が多いので少量で高エネルギーになります。塩分が少ないものを少量、料理のアクセントに活用しましょう。

副菜になるもの ● 種実

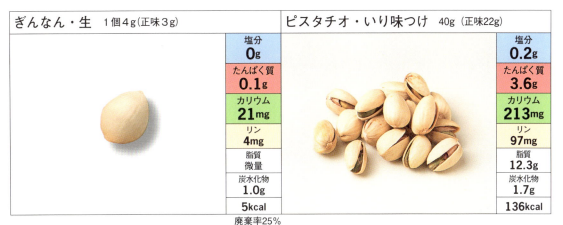

ぎんなん・生　1個4g（正味3g）

塩分	たんぱく質	カリウム	リン	脂質	炭水化物	
0g	0.1g	21mg	4mg	微量	1.0g	5kcal

廃棄率25%

ピスタチオ・いり味つけ　40g（正味22g）

塩分	たんぱく質	カリウム	リン	脂質	炭水化物	
0.2g	3.6g	213mg	97mg	12.3g	1.7g	136kcal

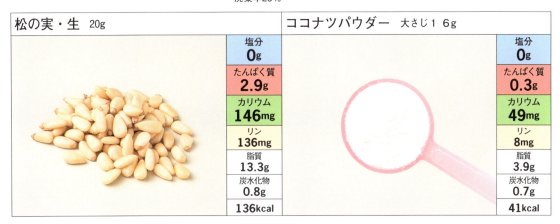

松の実・生　20g

塩分	たんぱく質	カリウム	リン	脂質	炭水化物	
0g	2.9g	146mg	136mg	13.3g	0.8g	136kcal

ココナツパウダー　大さじ1　6g

塩分	たんぱく質	カリウム	リン	脂質	炭水化物	
0g	0.3g	49mg	8mg	3.9g	0.7g	41kcal

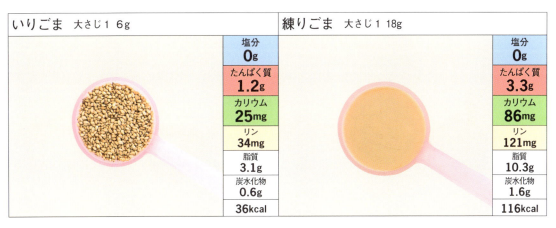

いりごま　大さじ1　6g

塩分	たんぱく質	カリウム	リン	脂質	炭水化物	
0g	1.2g	25mg	34mg	3.1g	0.6g	36kcal

練りごま　大さじ1　18g

塩分	たんぱく質	カリウム	リン	脂質	炭水化物	
0g	3.3g	86mg	121mg	10.3g	1.6g	116kcal

副菜になるもの ◎果物①

果物①

1日50〜100gを目安にすると安心です

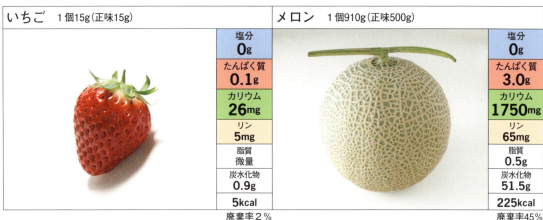

いちご 1個15g（正味15g）		メロン 1個910g（正味500g）	
塩分	0g	塩分	0g
たんぱく質	0.1g	たんぱく質	3.0g
カリウム	26mg	カリウム	1750mg
リン	5mg	リン	65mg
脂質	微量	脂質	0.5g
炭水化物	0.9g	炭水化物	51.5g
	5kcal		225kcal
廃棄率2%		廃棄率45%	

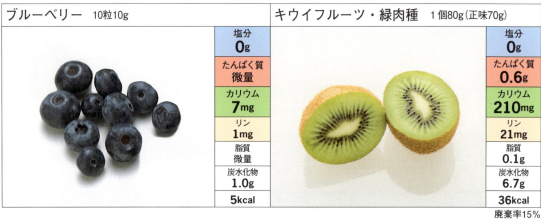

ブルーベリー 10粒10g		キウイフルーツ・緑肉種 1個80g（正味70g）	
塩分	0g	塩分	0g
たんぱく質	微量	たんぱく質	0.6g
カリウム	7mg	カリウム	210mg
リン	1mg	リン	21mg
脂質	微量	脂質	0.1g
炭水化物	1.0g	炭水化物	6.7g
	5kcal		36kcal
		廃棄率15%	

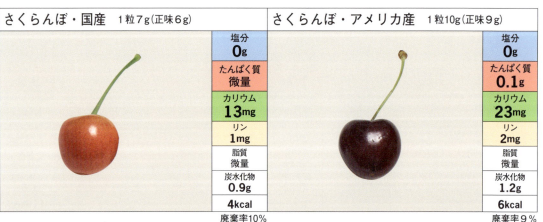

さくらんぼ・国産 1粒7g（正味6g）		さくらんぼ・アメリカ産 1粒10g（正味9g）	
塩分	0g	塩分	0g
たんぱく質	微量	たんぱく質	0.1g
カリウム	13mg	カリウム	23mg
リン	1mg	リン	2mg
脂質	微量	脂質	微量
炭水化物	0.9g	炭水化物	1.2g
	4kcal		6kcal
廃棄率10%		廃棄率9%	

果物の多くは100gあたりたんぱく質1g以下、カリウム200mg以下。ただし、バナナやアボカドは例外です。

副菜になるもの ● 果物 ①

すいか　⅛玉400g（正味240g）

塩分	0g
たんぱく質	0.7g
カリウム	288mg
リン	19mg
脂質	0.2g
炭水化物	22.8g
	98kcal

廃棄率40％

桃　1個250g（正味215g）

塩分	0g
たんぱく質	0.9g
カリウム	387mg
リン	39mg
脂質	0.2g
炭水化物	17.2g
	82kcal

廃棄率15％

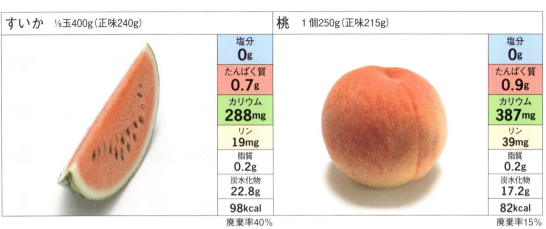

バナナ　1本200g（正味120g）

塩分	0g
たんぱく質	0.8g
カリウム	432mg
リン	32mg
脂質	0.1g
炭水化物	25.3g
	112kcal

廃棄率40％

いちじく　1個80g（正味70g）

塩分	0g
たんぱく質	0.3g
カリウム	119mg
リン	11mg
脂質	0.1g
炭水化物	8.8g
	40kcal

廃棄率15％

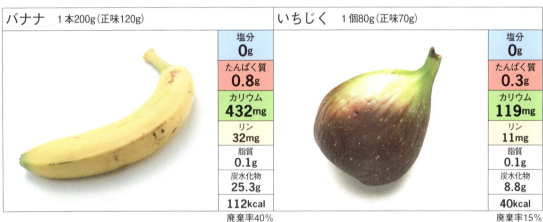

柿　1個200g（正味180g）

塩分	0g
たんぱく質	0.5g
カリウム	306mg
リン	25mg
脂質	0.2g
炭水化物	26.1g
	113kcal

廃棄率9％

りんご　1個250g（正味215g）

塩分	0g
たんぱく質	0.2g
カリウム	258mg
リン	26mg
脂質	微量
炭水化物	26.2g
	114kcal

廃棄率15％

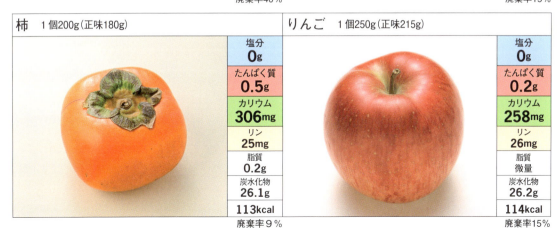

果物②

副菜になるもの ◎ 果物②

缶詰めの果物(92ページ)と組み合わせるとよい

梨　1個300g（正味255g）	
塩分	0g
たんぱく質	0.5g
カリウム	357mg
リン	28mg
脂質	0.3g
炭水化物	20.7g
	97kcal

廃棄率15%

洋梨　1個200g（正味170g）	
塩分	0g
たんぱく質	0.3g
カリウム	238mg
リン	22mg
脂質	0.2g
炭水化物	15.6g
	82kcal

廃棄率15%

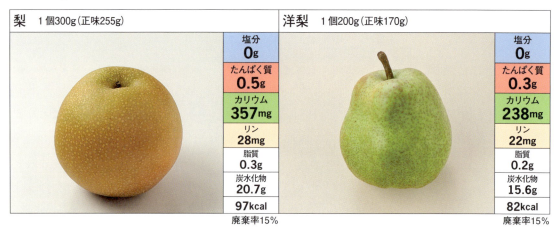

ぶどう・皮つき　80g	
塩分	0g
たんぱく質	0.3g
カリウム	176mg
リン	18mg
脂質	微量
炭水化物	13.6g
	55kcal

ぶどう・皮なし　10粒95g（正味80g）	
塩分	0g
たんぱく質	0.2g
カリウム	104mg
リン	12mg
脂質	微量
炭水化物	11.5g
	46kcal

廃棄率15%

びわ　1個50g（正味35g）	
塩分	0g
たんぱく質	0.1g
カリウム	56mg
リン	3mg
脂質	微量
炭水化物	3.2g
	14kcal

廃棄率30%

アボカド　1個200g（正味140g）	
塩分	0g
たんぱく質	2.2g
カリウム	826mg
リン	73mg
脂質	22.1g
炭水化物	6.7g
	246kcal

廃棄率30%

カリウムが多いからと果物をあきらめていませんか。カリウムが少ない缶詰めの果物と組み合わせると安心です。

副菜になるもの ○ 果物②

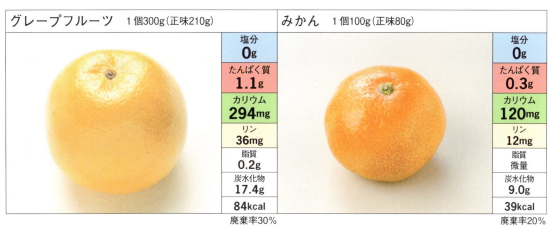

グレープフルーツ　1個300g（正味210g）
- 塩分 0g
- たんぱく質 1.1g
- カリウム 294mg
- リン 36mg
- 脂質 0.2g
- 炭水化物 17.4g
- 84kcal
- 廃棄率30%

みかん　1個100g（正味80g）
- 塩分 0g
- たんぱく質 0.3g
- カリウム 120mg
- リン 12mg
- 脂質 微量
- 炭水化物 9.0g
- 39kcal
- 廃棄率20%

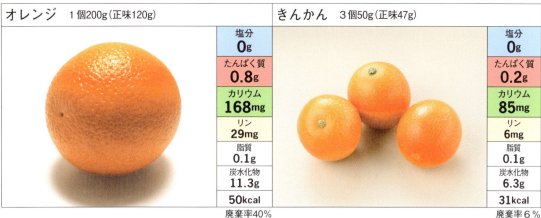

オレンジ　1個200g（正味120g）
- 塩分 0g
- たんぱく質 0.8g
- カリウム 168mg
- リン 29mg
- 脂質 0.1g
- 炭水化物 11.3g
- 50kcal
- 廃棄率40%

きんかん　3個50g（正味47g）
- 塩分 0g
- たんぱく質 0.2g
- カリウム 85mg
- リン 6mg
- 脂質 0.1g
- 炭水化物 6.3g
- 31kcal
- 廃棄率6%

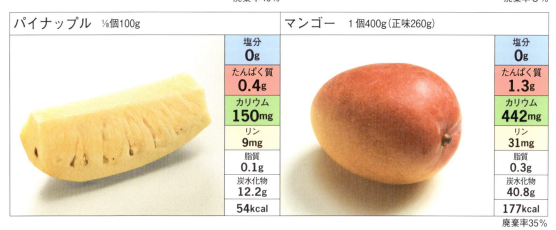

パイナップル　1/8個100g
- 塩分 0g
- たんぱく質 0.4g
- カリウム 150mg
- リン 9mg
- 脂質 0.1g
- 炭水化物 12.2g
- 54kcal

マンゴー　1個400g（正味260g）
- 塩分 0g
- たんぱく質 1.3g
- カリウム 442mg
- リン 31mg
- 脂質 0.3g
- 炭水化物 40.8g
- 177kcal
- 廃棄率35%

副菜になるもの ◎果物（ドライフルーツ）

ドライフルーツ

少量で高エネルギー。うまくとり入れたい

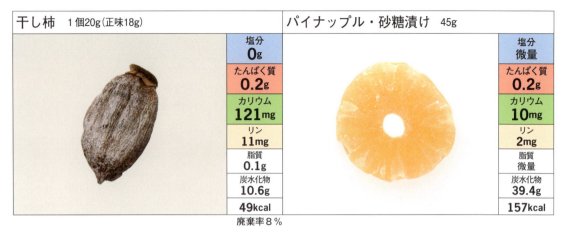

干し柿 1個20g（正味18g）	パイナップル・砂糖漬け 45g
塩分 0g	塩分 微量
たんぱく質 0.2g	たんぱく質 0.2g
カリウム 121mg	カリウム 10mg
リン 11mg	リン 2mg
脂質 0.1g	脂質 微量
炭水化物 10.6g	炭水化物 39.4g
49kcal	157kcal

廃棄率8％

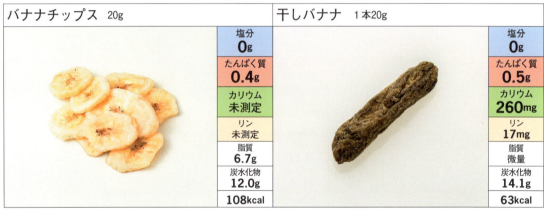

バナナチップス 20g	干しバナナ 1本20g
塩分 0g	塩分 0g
たんぱく質 0.4g	たんぱく質 0.5g
カリウム 未測定	カリウム 260mg
リン 未測定	リン 17mg
脂質 6.7g	脂質 微量
炭水化物 12.0g	炭水化物 14.1g
108kcal	63kcal

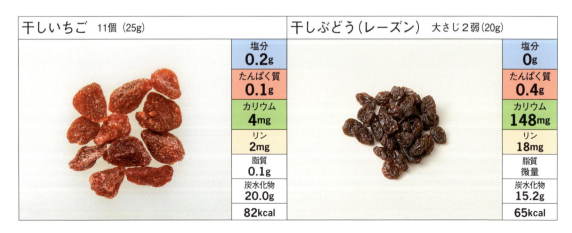

干しいちご 11個（25g）	干しぶどう（レーズン） 大さじ2弱（20g）
塩分 0.2g	塩分 0g
たんぱく質 0.1g	たんぱく質 0.4g
カリウム 4mg	カリウム 148mg
リン 2mg	リン 18mg
脂質 0.1g	脂質 微量
炭水化物 20.0g	炭水化物 15.2g
82kcal	65kcal

食物繊維を多く含みますが、バナナ、レーズン、いちじく、あんずはたんぱく質が多いので、食べても写真の半量におさえて。

副菜になるもの ● 果物（ドライフルーツ）

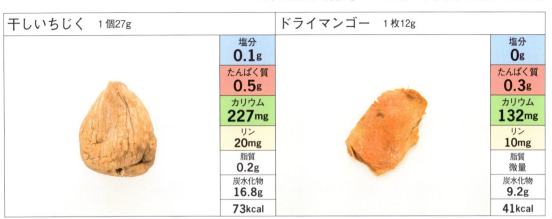

干しいちじく　1個27g
- 塩分 0.1g
- たんぱく質 0.5g
- カリウム 227mg
- リン 20mg
- 脂質 0.2g
- 炭水化物 16.8g
- 73kcal

ドライマンゴー　1枚12g
- 塩分 0g
- たんぱく質 0.3g
- カリウム 132mg
- リン 10mg
- 脂質 微量
- 炭水化物 9.2g
- 41kcal

干しあんず　種なし1個8g
- 塩分 0g
- たんぱく質 0.5g
- カリウム 104mg
- リン 10mg
- 脂質 微量
- 炭水化物 4.8g
- 24kcal

干しプルーン　種なし1個7g
- 塩分 0g
- たんぱく質 0.1g
- カリウム 51mg
- リン 5mg
- 脂質 微量
- 炭水化物 2.9g
- 15kcal

なつめやし　1個7g（正味7g）
- 塩分 0g
- たんぱく質 0.1g
- カリウム 39mg
- リン 4mg
- 脂質 微量
- 炭水化物 4.6g
- 20kcal

ドライフルーツや果物缶詰めの食べ方は？

　生の果物は1日50～100gが目安です。ドライフルーツは水分が抜けているため、生の果物よりも糖質や食物繊維を多くとることができます。しかし、たんぱく質、カリウムが多いので、あまりおすすめしません。
　果物の缶詰めはシロップ漬けに加工されており、果物自体の糖質に砂糖や果糖などがプラスされて糖質量も多く、高エネルギー。加工の段階でビタミンCは減っていますが、カリウムが少ないので、腎臓病の人にもおすすめできる食品です。缶詰めのシロップにはカリウムがとけ出しているので、シロップは残すようにしましょう。

副菜になるもの ○ 果物（缶詰め）

缶詰め

加工の段階でカリウムが少なくなっています

さくらんぼ・缶詰め 5個30g（正味26g）	パイナップル・缶詰め 1個35g
塩分 0g / たんぱく質 0.2g / カリウム 26mg / リン 3mg / 脂質 微量 / 炭水化物 4.1g / 18kcal	塩分 0g / たんぱく質 0.1g / カリウム 42mg / リン 2mg / 脂質 微量 / 炭水化物 6.8g / 27kcal

廃棄率15%

みかん・缶詰め 10房130g	洋梨・缶詰め 2切れ60g
塩分 0g / たんぱく質 0.7g / カリウム 98mg / リン 10mg / 脂質 微量 / 炭水化物 19.4g / 82kcal	塩分 0g / たんぱく質 0.1g / カリウム 33mg / リン 3mg / 脂質 0.1g / 炭水化物 10.3g / 47kcal

白桃・缶詰め 1切れ50g	ナタデココ 10個40g
塩分 0g / たんぱく質 0.2g / カリウム 40mg / リン 5mg / 脂質 0.1g / 炭水化物 9.7g / 41kcal	塩分 0g / たんぱく質 0g / カリウム 0mg / リン 微量 / 脂質 微量 / 炭水化物 7.9g / 32kcal

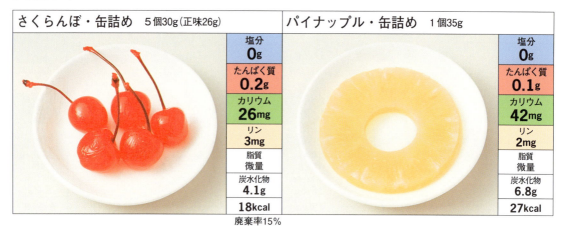
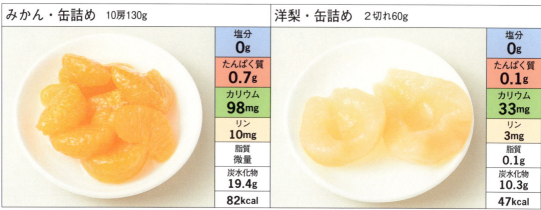
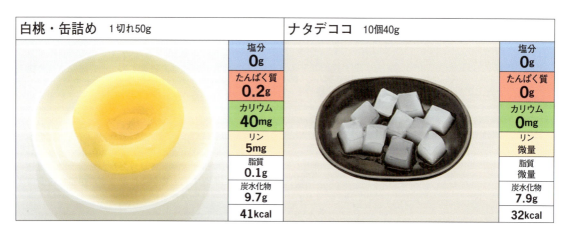

> 食品選び早わかり

主食になるもの

ごはんやパン、めんなど、エネルギー補給に毎食、必要な食品ですが、たんぱく質を多く含むため、食べる量を考慮しなければなりません。減らしすぎるとエネルギー不足になってしまいます。
たんぱく質制限のきびしい場合はたんぱく質調整食品を利用して、エネルギーを確保しながら、たんぱく質量をおさえることも一案です。

ごはん

食べる量が多いので、たんぱく質も多くなります

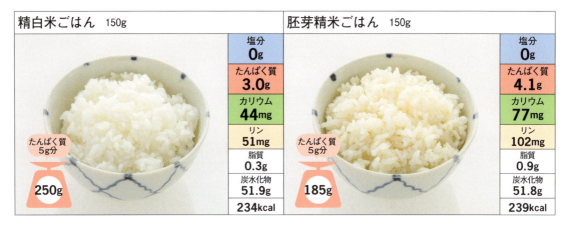

精白米ごはん 150g
- 塩分 0g
- たんぱく質 3.0g
- カリウム 44mg
- リン 51mg
- 脂質 0.3g
- 炭水化物 51.9g
- 234kcal
- たんぱく質5g分 250g

胚芽精米ごはん 150g
- 塩分 0g
- たんぱく質 4.1g
- カリウム 77mg
- リン 102mg
- 脂質 0.9g
- 炭水化物 51.8g
- 239kcal
- たんぱく質5g分 185g

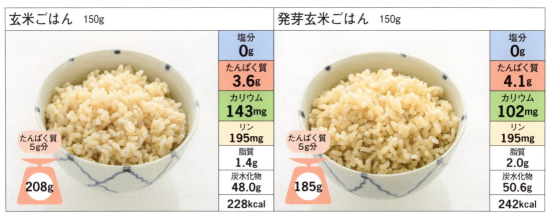

玄米ごはん 150g
- 塩分 0g
- たんぱく質 3.6g
- カリウム 143mg
- リン 195mg
- 脂質 1.4g
- 炭水化物 48.0g
- 228kcal
- たんぱく質5g分 208g

発芽玄米ごはん 150g
- 塩分 0g
- たんぱく質 4.1g
- カリウム 102mg
- リン 195mg
- 脂質 2.0g
- 炭水化物 50.6g
- 242kcal
- たんぱく質5g分 185g

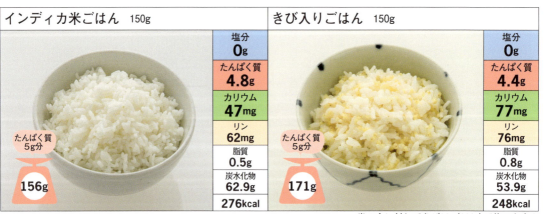

インディカ米ごはん 150g
- 塩分 0g
- たんぱく質 4.8g
- カリウム 47mg
- リン 62mg
- 脂質 0.5g
- 炭水化物 62.9g
- 276kcal
- たんぱく質5g分 156g

きび入りごはん 150g
- 塩分 0g
- たんぱく質 4.4g
- カリウム 77mg
- リン 76mg
- 脂質 0.8g
- 炭水化物 53.9g
- 248kcal
- たんぱく質5g分 171g

米1合に対してきび30g(20%)で炊いたもの

主食になるもの ○ごはん

主食を低たんぱく質の調整食品にすれば、たんぱく質を減らしながらエネルギーは確保でき、主菜の肉や魚の量が増やせます。

主食になるもの ●ごはん

雑穀入りごはん 150g

たんぱく質5g分 179g

塩分	0g
たんぱく質	4.2g
カリウム	83mg
リン	57mg
脂質	0.8g
炭水化物	53.4g
	247kcal

米1合に対して雑穀30g(20%)で炊いたもの

麦入りごはん(押し麦) 150g

たんぱく質5g分 201g

塩分	0g
たんぱく質	3.7g
カリウム	76mg
リン	73mg
脂質	0.6g
炭水化物	51.2g
	235kcal

米1合に対して麦30g(20%)で炊いたもの

全がゆ・精白米 200g

たんぱく質5g分 556g

塩分	0g
たんぱく質	1.8g
カリウム	24mg
リン	28mg
脂質	0.2g
炭水化物	29.4g
	130kcal

赤飯 150g

たんぱく質5g分 139g

塩分	0g
たんぱく質	5.4g
カリウム	107mg
リン	51mg
脂質	0.8g
炭水化物	61.7g
	279kcal

たんぱく質をおさえた調整食品の栄養価と利用法(ごはん、もち)

主菜の肉や魚の量を減らしても、普通のごはんを主食にしていては、たんぱく質の摂取量は思うように減らせません。精白米ごはん150gのたんぱく質は3.0gになりますが、たんぱく質を1/25に減らしたごはんにすれば0.2gになり、2.8gのたんぱく質を減らすことができます。主食からとるたんぱく質を減らした分、主菜にまわせば、おかずを極端に減らさずに満足感のある献立が整います。

食品名	重量 g	エネルギー kcal	たんぱく質 g	脂質 g	炭水化物 g	リン mg
たんぱく質調整(1/35) ごはん	150	250	0.1	0.8	60.5	18
たんぱく質調整(1/25) ごはん	150	243	0.2	0.6	59.3	23
たんぱく質調整もち	45	90	0.2	0.1	22.3	6

データの最終更新日2022年7月

もち・おにぎりなど

食べやすい分、たんぱく質に注意して

主食になるもの　もち・おにぎりなど

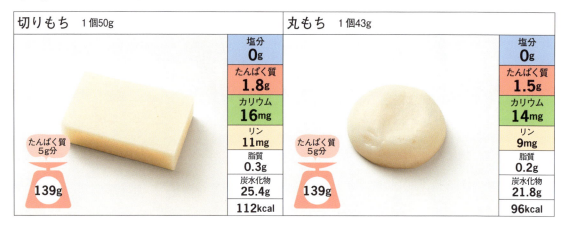

切りもち　1個50g	
たんぱく質5g分 139g	塩分 0g
	たんぱく質 1.8g
	カリウム 16mg
	リン 11mg
	脂質 0.3g
	炭水化物 25.4g
	112kcal

丸もち　1個43g	
たんぱく質5g分 139g	塩分 0g
	たんぱく質 1.5g
	カリウム 14mg
	リン 9mg
	脂質 0.2g
	炭水化物 21.8g
	96kcal

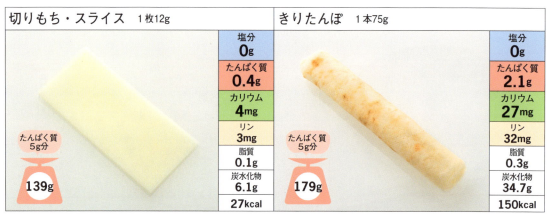

切りもち・スライス　1枚12g	
たんぱく質5g分 139g	塩分 0g
	たんぱく質 0.4g
	カリウム 4mg
	リン 3mg
	脂質 0.1g
	炭水化物 6.1g
	27kcal

きりたんぽ　1本75g	
たんぱく質5g分 179g	塩分 0g
	たんぱく質 2.1g
	カリウム 27mg
	リン 32mg
	脂質 0.3g
	炭水化物 34.7g
	150kcal

おにぎり・タラコ　1個107g	
たんぱく質5g分 191g	塩分 1.1g
	たんぱく質 2.8g
	カリウム 61mg
	リン 50mg
	脂質 0.3g
	炭水化物 35.9g
	166kcal

おにぎり・ツナマヨネーズ　1個114g	
たんぱく質5g分 171g	塩分 1.1g
	たんぱく質 3.3g
	カリウム 67mg
	リン 59mg
	脂質 4.4g
	炭水化物 35.9g
	206kcal

もちはごはんよりも量を食べてしまいがち。その分たんぱく質量もアップします。市販のおにぎりやすしは塩分に注意です。

主食になるもの ● もち・おにぎりなど

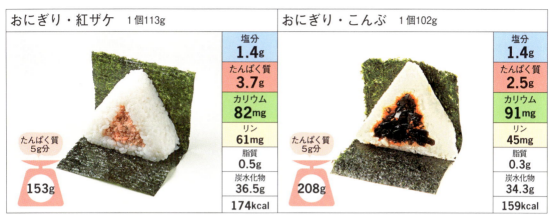

おにぎり・紅ザケ　1個113g
- 塩分 1.4g
- たんぱく質 3.7g
- カリウム 82mg
- リン 61mg
- 脂質 0.5g
- 炭水化物 36.5g
- 174kcal
- たんぱく質5g分 153g

おにぎり・こんぶ　1個102g
- 塩分 1.4g
- たんぱく質 2.5g
- カリウム 91mg
- リン 45mg
- 脂質 0.3g
- 炭水化物 34.3g
- 159kcal
- たんぱく質5g分 208g

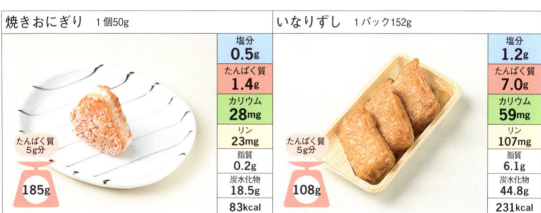

焼きおにぎり　1個50g
- 塩分 0.5g
- たんぱく質 1.4g
- カリウム 28mg
- リン 23mg
- 脂質 0.2g
- 炭水化物 18.5g
- 83kcal
- たんぱく質5g分 185g

いなりずし　1パック152g
- 塩分 1.2g
- たんぱく質 7.0g
- カリウム 59mg
- リン 107mg
- 脂質 6.1g
- 炭水化物 44.8g
- 231kcal
- たんぱく質5g分 108g

手巻きずし　納豆　1本100g
- 塩分 0.9g
- たんぱく質 3.1g
- カリウム 95mg
- リン 53mg
- 脂質 1.1g
- 炭水化物 30.7g
- 154kcal
- たんぱく質5g分 160g

ごはんの量の目安

ふだんなにげなく食べたり、使ったりしているごはんの量を量ってみましょう。

食品名	重量 g	エネルギー kcal	たんぱく質 g
ごはん　箸1口	7	11	0.1
ごはん　スプーン1口	10	16	0.2
太巻きずし　1本分	150	234	3.0
細巻きずし　1本分	80	125	1.6
チャーハン　1食分	300	468	6.0
ピラフ　1食分	300	468	6.0

出所：『日本食品標準成分表2020年版（八訂）』（文部科学省）から算出

パン①

主食になるもの ○パン①

パンは塩分もたんぱく質も多いと認識して

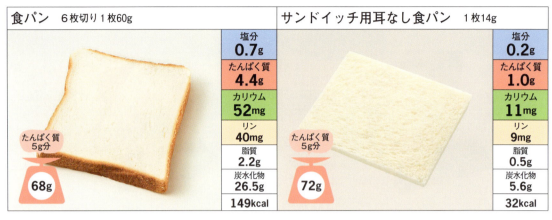

食パン 6枚切り1枚60g		サンドイッチ用耳なし食パン 1枚14g	
たんぱく質5g分 68g	塩分 0.7g / たんぱく質 4.4g / カリウム 52mg / リン 40mg / 脂質 2.2g / 炭水化物 26.5g / 149kcal	たんぱく質5g分 72g	塩分 0.2g / たんぱく質 1.0g / カリウム 11mg / リン 9mg / 脂質 0.5g / 炭水化物 5.6g / 32kcal

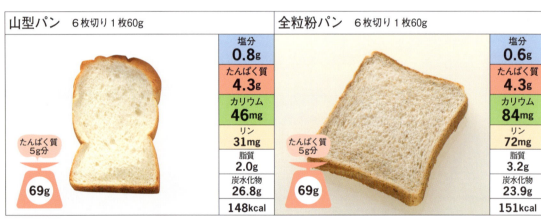

山型パン 6枚切り1枚60g		全粒粉パン 6枚切り1枚60g	
たんぱく質5g分 69g	塩分 0.8g / たんぱく質 4.3g / カリウム 46mg / リン 31mg / 脂質 2.0g / 炭水化物 26.8g / 148kcal	たんぱく質5g分 69g	塩分 0.6g / たんぱく質 4.3g / カリウム 84mg / リン 72mg / 脂質 3.2g / 炭水化物 23.9g / 151kcal

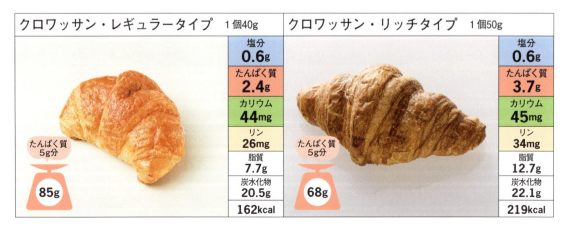

クロワッサン・レギュラータイプ 1個40g		クロワッサン・リッチタイプ 1個50g	
たんぱく質5g分 85g	塩分 0.6g / たんぱく質 2.4g / カリウム 44mg / リン 26mg / 脂質 7.7g / 炭水化物 20.5g / 162kcal	たんぱく質5g分 68g	塩分 0.6g / たんぱく質 3.7g / カリウム 45mg / リン 34mg / 脂質 12.7g / 炭水化物 22.1g / 219kcal

パンはごはんよりも塩分、たんぱく質とも多く含まれます。たんぱく質調整食品（101ページ囲み）をじょうずに利用しましょう。

主食になるもの　パン①

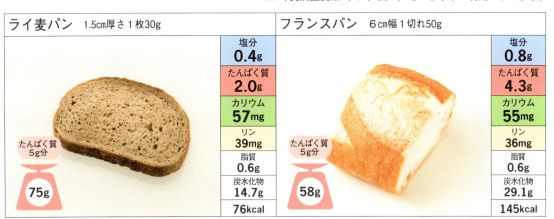

ライ麦パン　1.5cm厚さ1枚30g	フランスパン　6cm幅1切れ50g
塩分 0.4g	塩分 0.8g
たんぱく質 2.0g	たんぱく質 4.3g
カリウム 57mg	カリウム 55mg
リン 39mg	リン 36mg
脂質 0.6g	脂質 0.6g
炭水化物 14.7g	炭水化物 29.1g
76kcal	145kcal
たんぱく質5g分 75g	たんぱく質5g分 58g

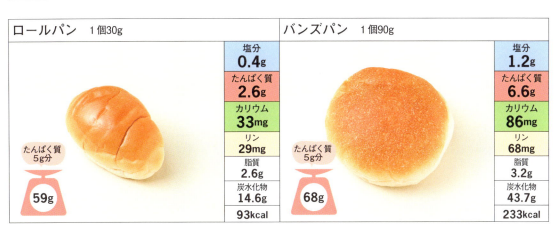

ロールパン　1個30g	バンズパン　1個90g
塩分 0.4g	塩分 1.2g
たんぱく質 2.6g	たんぱく質 6.6g
カリウム 33mg	カリウム 86mg
リン 29mg	リン 68mg
脂質 2.6g	脂質 3.2g
炭水化物 14.6g	炭水化物 43.7g
93kcal	233kcal
たんぱく質5g分 59g	たんぱく質5g分 68g

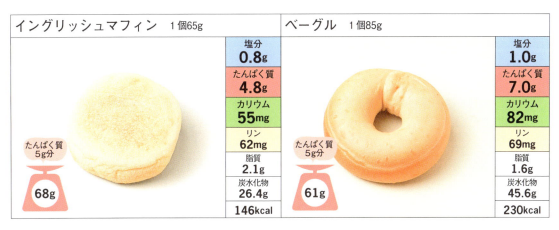

イングリッシュマフィン　1個65g	ベーグル　1個85g
塩分 0.8g	塩分 1.0g
たんぱく質 4.8g	たんぱく質 7.0g
カリウム 55mg	カリウム 82mg
リン 62mg	リン 69mg
脂質 2.1g	脂質 1.6g
炭水化物 26.4g	炭水化物 45.6g
146kcal	230kcal
たんぱく質5g分 68g	たんぱく質5g分 61g

パン②

1回に食べる量が多いパンは塩分もたんぱく質も多い

主食になるもの ●パン②

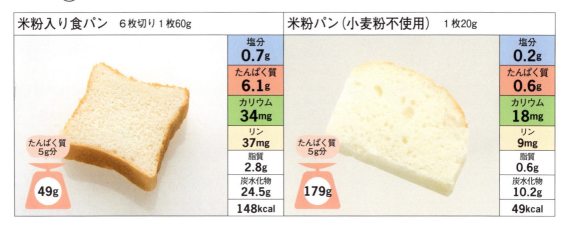

米粉入り食パン　6枚切り1枚60g
- 塩分 0.7g
- たんぱく質 6.1g
- カリウム 34mg
- リン 37mg
- 脂質 2.8g
- 炭水化物 24.5g
- 148kcal
- たんぱく質5g分 49g

米粉パン（小麦粉不使用）　1枚20g
- 塩分 0.2g
- たんぱく質 0.6g
- カリウム 18mg
- リン 9mg
- 脂質 0.6g
- 炭水化物 10.2g
- 49kcal
- たんぱく質5g分 179g

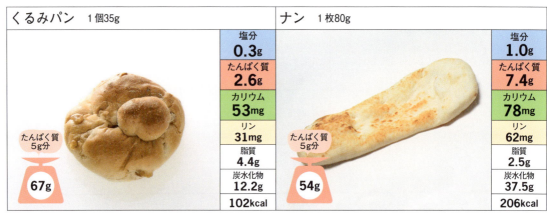

くるみパン　1個35g
- 塩分 0.3g
- たんぱく質 2.6g
- カリウム 53mg
- リン 31mg
- 脂質 4.4g
- 炭水化物 12.2g
- 102kcal
- たんぱく質5g分 67g

ナン　1枚80g
- 塩分 1.0g
- たんぱく質 7.4g
- カリウム 78mg
- リン 62mg
- 脂質 2.5g
- 炭水化物 37.5g
- 206kcal
- たんぱく質5g分 54g

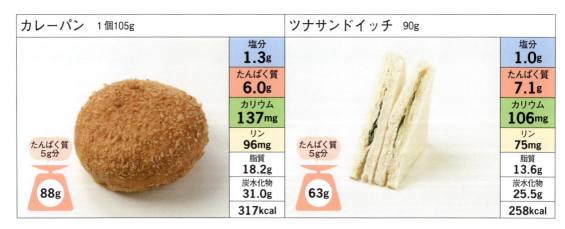

カレーパン　1個105g
- 塩分 1.3g
- たんぱく質 6.0g
- カリウム 137mg
- リン 96mg
- 脂質 18.2g
- 炭水化物 31.0g
- 317kcal
- たんぱく質5g分 88g

ツナサンドイッチ　90g
- 塩分 1.0g
- たんぱく質 7.1g
- カリウム 106mg
- リン 75mg
- 脂質 13.6g
- 炭水化物 25.5g
- 258kcal
- たんぱく質5g分 63g

具が肉、魚介のものはたんぱく質が多いので要注意。あんまん以外は、具材に味つけされた塩分もプラスに。

主食になるもの ● パン ②

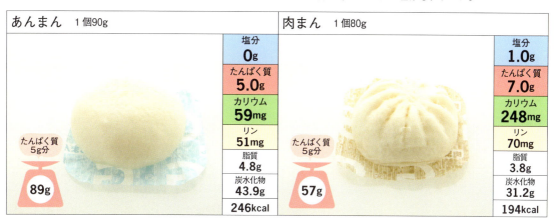

あんまん 1個90g		肉まん 1個80g	
	塩分 0g		塩分 1.0g
	たんぱく質 5.0g		たんぱく質 7.0g
たんぱく質5g分 89g	カリウム 59mg	たんぱく質5g分 57g	カリウム 248mg
	リン 51mg		リン 70mg
	脂質 4.8g		脂質 3.8g
	炭水化物 43.9g		炭水化物 31.2g
	246kcal		194kcal

焼きそばロール 1個110g		ミートパイ 1個85g	
	塩分 1.4g		塩分 0.9g
	たんぱく質 5.6g		たんぱく質 7.6g
たんぱく質5g分 99g	カリウム 94mg	たんぱく質5g分 56g	カリウム 94mg
	リン 53mg		リン 39mg
	脂質 7.4g		脂質 23.3g
	炭水化物 37.7g		炭水化物 20.1g
	245kcal		324kcal

たんぱく質をおさえた調整食品の栄養価と利用法（ごはん、もち）

　1日3食の主食であるごはんと同様に、パンやめんにもたんぱく質が含まれます。そのため、たんぱく質調整食品をとり入れることをおすすめします。

　パンはごはんと違って塩分が含まれますが、たんぱく質調整食品には塩分を控えたものもあるので、一石二鳥です（めんの利用法については106ページ参照）。

食品名	重量 g	エネルギー kcal	たんぱく質 g	脂質 g	炭水化物 g	リン mg	食塩相当量 g
たんぱく質調整食パン	100	260	0.5	5.9	50.3	25	0.1
たんぱく質調整うどん	100	363	1.4	3.4	81.8	48	0.1
たんぱく質調整そば	100	350	2.4	1.1	83.7	51.5	微量
たんぱく質調整スパゲティ	100	357	0.4	0.7	87.2	19	0.1

データの最終更新日2022年8月

パン③・シリアル

甘味のあるパンやシリアルにも塩分が含まれます

主食になるもの ○パン③・シリアル

あんパン 1個80g		ぶどうパン 1個65g	
たんぱく質5g分 86g	塩分 0.2g たんぱく質 4.6g カリウム 51mg リン 44mg 脂質 2.7g 炭水化物 41.8g 214kcal	たんぱく質5g分 68g	塩分 0.7g たんぱく質 4.8g カリウム 137mg リン 56mg 脂質 2.1g 炭水化物 32.4g 171kcal

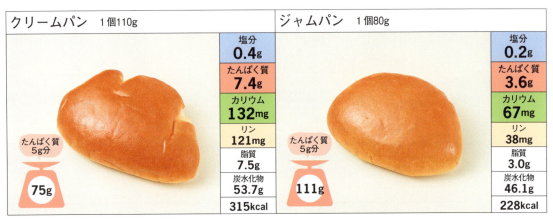

クリームパン 1個110g		ジャムパン 1個80g	
たんぱく質5g分 75g	塩分 0.4g たんぱく質 7.4g カリウム 132mg リン 121mg 脂質 7.5g 炭水化物 53.7g 315kcal	たんぱく質5g分 111g	塩分 0.2g たんぱく質 3.6g カリウム 67mg リン 38mg 脂質 3.0g 炭水化物 46.1g 228kcal

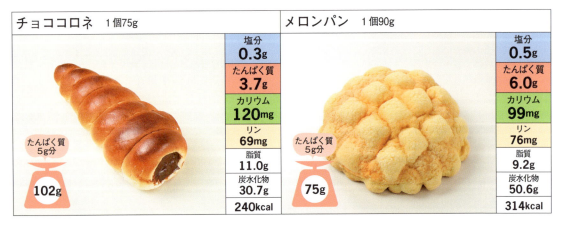

チョココロネ 1個75g		メロンパン 1個90g	
たんぱく質5g分 102g	塩分 0.3g たんぱく質 3.7g カリウム 120mg リン 69mg 脂質 11.0g 炭水化物 30.7g 240kcal	たんぱく質5g分 75g	塩分 0.5g たんぱく質 6.0g カリウム 99mg リン 76mg 脂質 9.2g 炭水化物 50.6g 314kcal

菓子パンは卵や乳製品が材料でたんぱく質も多い。シリアルもたんぱく質が含まれます。ときどきの楽しみに食べる程度に。

主食になるもの ● パン③・シリアル

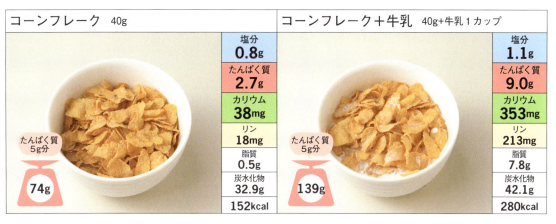

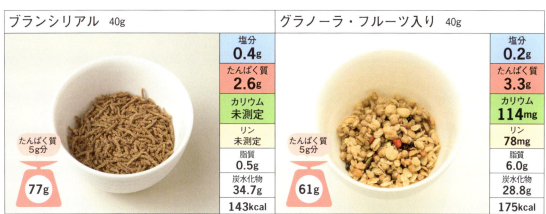

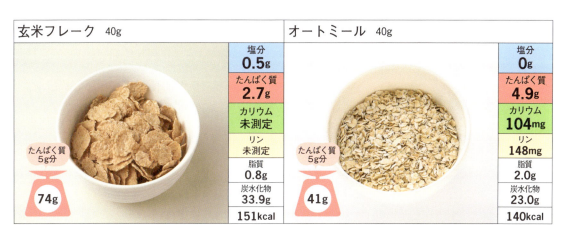

主食になるもの ○うどん・そば・中華めん・パスタなど

うどん・そば・中華めん・パスタなど　たんぱく質、塩分に注意

うどん・ゆで　1玉分240g

塩分	0.7g
たんぱく質	5.5g
カリウム	22mg
リン	43mg
脂質	0.7g
炭水化物	46.8g
	228kcal

たんぱく質5g分　217g

生うどんで130g（ゆでると1.8倍）

ゆでうどん・袋入り　1袋180g

塩分	0.5g
たんぱく質	4.1g
カリウム	16mg
リン	32mg
脂質	0.5g
炭水化物	35.1g
	171kcal

たんぱく質5g分　217g

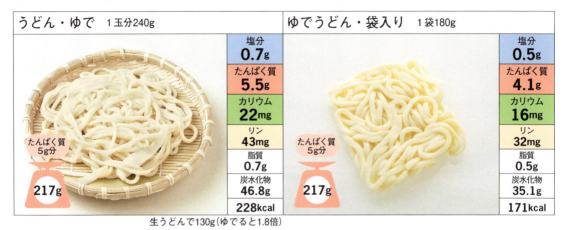

そば・ゆで　1束分230g

塩分	0g
たんぱく質	9.0g
カリウム	78mg
リン	184mg
脂質	2.1g
炭水化物	56.4g
	299kcal

たんぱく質5g分　128g

生そばで120g（ゆでると1.9倍）

ゆでそば・袋入り　1袋160g

塩分	0g
たんぱく質	6.2g
カリウム	54mg
リン	128mg
脂質	1.4g
炭水化物	39.2g
	208kcal

たんぱく質5g分　128g

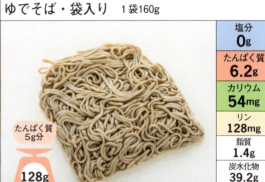

そうめん・ゆで　1束分135g

塩分	0.3g
たんぱく質	4.5g
カリウム	7mg
リン	32mg
脂質	0.4g
炭水化物	31.5g
	154kcal

たんぱく質5g分　152g

乾めんで50g（ゆでると2.7倍）。乾めん50gの塩分は1.9g

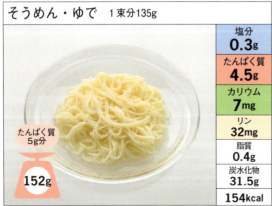

手延べそうめん・ゆで　1束分150g

塩分	0.5g
たんぱく質	4.8g
カリウム	8mg
リン	35mg
脂質	0.9g
炭水化物	37.2g
	179kcal

たんぱく質5g分　156g

乾めんで52g（ゆでると2.9倍）。乾めん52gの塩分は3.0g

めんは塩分が多くならないようにうす味を心がけ、パスタのゆで湯に加える塩は控えて。たんぱく質調整食品もあります。

主食になるもの ● うどん・そば・中華めん・パスタなど

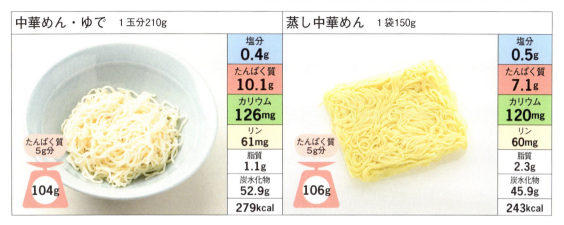

中華めん・ゆで　1玉分210g
- 塩分 0.4g
- たんぱく質 10.1g
- カリウム 126mg
- リン 61mg
- 脂質 1.1g
- 炭水化物 52.9g
- 279kcal
- たんぱく質5g分 104g

蒸し中華めん　1袋150g
- 塩分 0.5g
- たんぱく質 7.1g
- カリウム 120mg
- リン 60mg
- 脂質 2.3g
- 炭水化物 45.9g
- 243kcal
- たんぱく質5g分 106g

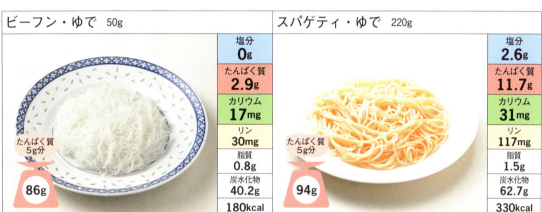

ビーフン・ゆで　50g
- 塩分 0g
- たんぱく質 2.9g
- カリウム 17mg
- リン 30mg
- 脂質 0.8g
- 炭水化物 40.2g
- 180kcal
- たんぱく質5g分 86g

乾めんで17g（ゆでると3倍）

スパゲティ・ゆで　220g
- 塩分 2.6g
- たんぱく質 11.7g
- カリウム 31mg
- リン 117mg
- 脂質 1.5g
- 炭水化物 62.7g
- 330kcal
- たんぱく質5g分 94g

1.5%食塩水でゆでた場合。乾燥で100g（ゆでると2.2倍）

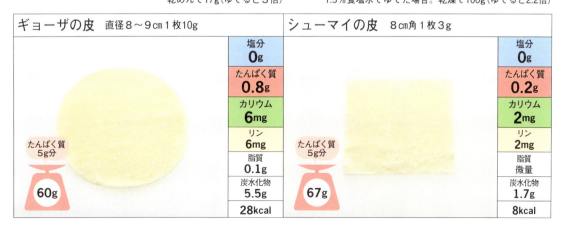

ギョーザの皮　直径8〜9cm 1枚10g
- 塩分 0g
- たんぱく質 0.8g
- カリウム 6mg
- リン 6mg
- 脂質 0.1g
- 炭水化物 5.5g
- 28kcal
- たんぱく質5g分 60g

シューマイの皮　8cm角 1枚3g
- 塩分 0g
- たんぱく質 0.2g
- カリウム 2mg
- リン 2mg
- 脂質 微量
- 炭水化物 1.7g
- 8kcal
- たんぱく質5g分 67g

主食になるもの ●その他

その他

でんぷん主体のはるさめ、くず切りをめんの代用に

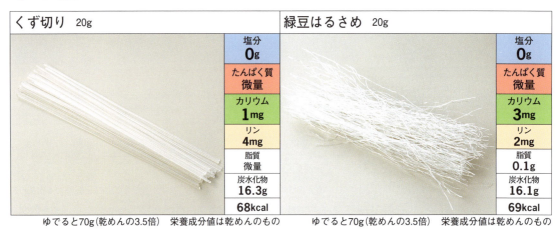

くず切り 20g
- 塩分 0g
- たんぱく質 微量
- カリウム 1mg
- リン 4mg
- 脂質 微量
- 炭水化物 16.3g
- 68kcal

ゆでると70g（乾めんの3.5倍） 栄養成分値は乾めんのもの

緑豆はるさめ 20g
- 塩分 0g
- たんぱく質 微量
- カリウム 3mg
- リン 2mg
- 脂質 0.1g
- 炭水化物 16.1g
- 69kcal

ゆでると70g（乾めんの3.5倍） 栄養成分値は乾めんのもの

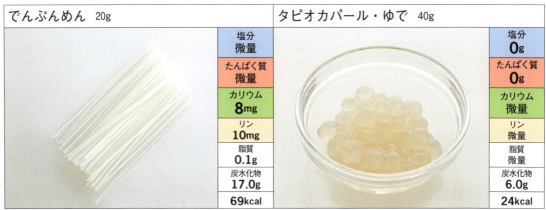

でんぷんめん 20g
- 塩分 微量
- たんぱく質 微量
- カリウム 8mg
- リン 10mg
- 脂質 0.1g
- 炭水化物 17.0g
- 69kcal

タピオカパール・ゆで 40g
- 塩分 0g
- たんぱく質 0g
- カリウム 微量
- リン 微量
- 脂質 微量
- 炭水化物 6.0g
- 24kcal

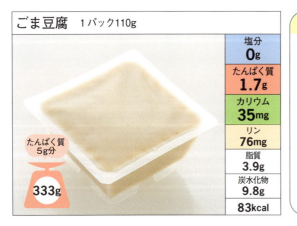

ごま豆腐 1パック110g
- 塩分 0g
- たんぱく質 1.7g
- カリウム 35mg
- リン 76mg
- 脂質 3.9g
- 炭水化物 9.8g
- 83kcal

たんぱく質5g分 333g

たんぱく質をおさえためんの利用法

めん類の中でも、そばやスパゲティなどの1食分のたんぱく質量は、もともとごはん1食分の2～3倍（10g前後）あります。たんぱく質調整食品のめんを選ぶと1食3g以内のたんぱく質量に収まりますが、それでも低たんぱく質ごはん1食分よりは多くなります（たんぱく質調整めんについては101ページ参照）。たんぱく質制限が1日30～40gの場合は、でんぷんで作ったでんぷんめんがおすすめです。

また、めん類はつゆやたれ、ソースなどで塩分が多くなりがちなので、つゆを少なくする、減塩タイプのめんつゆやしょうゆを使う、具のうま味を生かすなどの調理のくふうが必要です。

食品選び早わかり

乳製品
豆乳

カルシウムやビタミン類の供給源となる食品です。
たんぱく質やリンも多く含むため、
とりすぎないようにしましょう。
チーズは塩分も多いので、少量を楽しむ程度に。

牛乳・乳飲料・豆乳など

カルシウム源ですが、リンも多いので注意

普通牛乳 200mL (210g)
- 塩分 0.2g
- たんぱく質 6.3g
- カリウム 315mg
- リン 195mg
- 脂質 7.4g
- 炭水化物 9.2g
- 128kcal
- たんぱく質5g分 167g

濃厚乳 200mL (210g)
- 塩分 0.2g
- たんぱく質 6.3g
- カリウム 357mg
- リン 210mg
- 脂質 8.8g
- 炭水化物 10.1g
- 147kcal
- たんぱく質5g分 167g

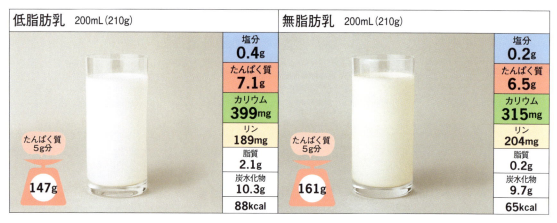

低脂肪乳 200mL (210g)
- 塩分 0.4g
- たんぱく質 7.1g
- カリウム 399mg
- リン 189mg
- 脂質 2.1g
- 炭水化物 10.3g
- 88kcal
- たんぱく質5g分 147g

無脂肪乳 200mL (210g)
- 塩分 0.2g
- たんぱく質 6.5g
- カリウム 315mg
- リン 204mg
- 脂質 0.2g
- 炭水化物 9.7g
- 65kcal
- たんぱく質5g分 161g

乳酸菌飲料・殺菌乳製品・希釈タイプ 200mL (209g)
- 塩分 0g
- たんぱく質 0.6g
- カリウム 29mg
- リン 20mg
- 脂質 微量
- 炭水化物 25.3g
- 106kcal
- たんぱく質5g分 385g
- 5倍希釈の場合　原液(49g40mL・水160mL)

乳酸菌飲料・乳製品 コップ1杯150g
- 塩分 0g
- たんぱく質 1.4g
- カリウム 72mg
- リン 45mg
- 脂質 微量
- 炭水化物 22.7g
- 96kcal
- たんぱく質5g分 556g

乳製品・豆乳　牛乳・乳飲料・豆乳など

牛乳も豆乳もたんぱく質、カリウムが多い。腎臓病の人のための、リンやカリウムをおさえた栄養成分調整食品もあります。

乳製品・豆乳　牛乳・乳飲料・豆乳など

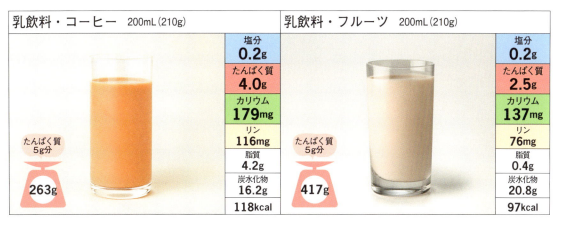

乳飲料・コーヒー 200mL (210g)	乳飲料・フルーツ 200mL (210g)
塩分 0.2g	塩分 0.2g
たんぱく質 4.0g	たんぱく質 2.5g
カリウム 179mg	カリウム 137mg
リン 116mg	リン 76mg
脂質 4.2g	脂質 0.4g
炭水化物 16.2g	炭水化物 20.8g
たんぱく質5g分 263g	たんぱく質5g分 417g
118kcal	97kcal

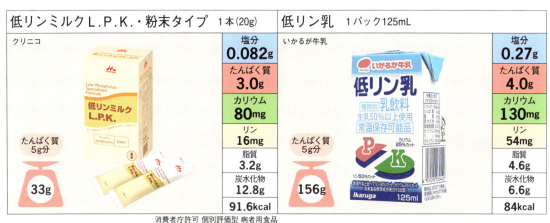

低リンミルクL.P.K.・粉末タイプ 1本(20g) クリニコ	低リン乳 1パック125mL いかるが牛乳
塩分 0.082g	塩分 0.27g
たんぱく質 3.0g	たんぱく質 4.0g
カリウム 80mg	カリウム 130mg
リン 16mg	リン 54mg
脂質 3.2g	脂質 4.6g
炭水化物 12.8g	炭水化物 6.6g
たんぱく質5g分 33g	たんぱく質5g分 156g
91.6kcal	84kcal

消費者庁許可 個別評価型 病者用食品

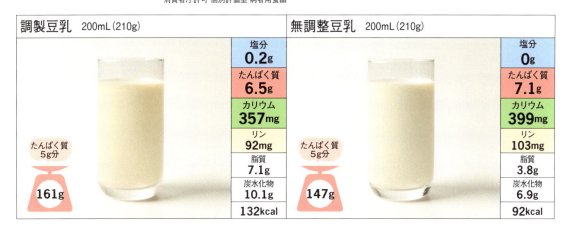

調製豆乳 200mL (210g)	無調整豆乳 200mL (210g)
塩分 0.2g	塩分 0g
たんぱく質 6.5g	たんぱく質 7.1g
カリウム 357mg	カリウム 399mg
リン 92mg	リン 103mg
脂質 7.1g	脂質 3.8g
炭水化物 10.1g	炭水化物 6.9g
たんぱく質5g分 161g	たんぱく質5g分 147g
132kcal	92kcal

ヨーグルト・クリームなど

ヨーグルトの栄養価は牛乳とほぼ同じ

ヨーグルト・脱脂加糖 1パック75g	プレーンヨーグルト・全脂無糖 1食分80g
たんぱく質5g分 125g	たんぱく質5g分 152g
塩分 0.2g / たんぱく質 3.0g / カリウム 113mg / リン 75mg / 脂質 0.2g / 炭水化物 8.4g / 49kcal	塩分 0.1g / たんぱく質 2.6g / カリウム 136mg / リン 80mg / 脂質 2.2g / 炭水化物 3.0g / 45kcal

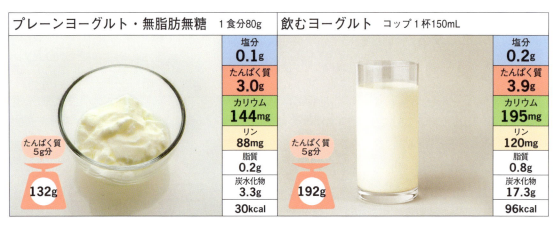

プレーンヨーグルト・無脂肪無糖 1食分80g	飲むヨーグルト コップ1杯150mL
たんぱく質5g分 132g	たんぱく質5g分 192g
塩分 0.1g / たんぱく質 3.0g / カリウム 144mg / リン 88mg / 脂質 0.2g / 炭水化物 3.3g / 30kcal	塩分 0.2g / たんぱく質 3.9g / カリウム 195mg / リン 120mg / 脂質 0.8g / 炭水化物 17.3g / 96kcal

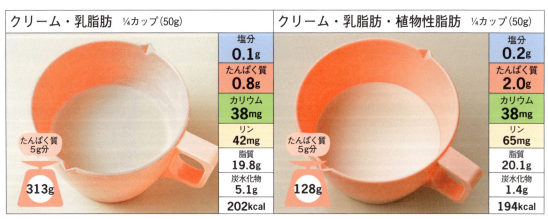

クリーム・乳脂肪 ¼カップ(50g)	クリーム・乳脂肪・植物性脂肪 ¼カップ(50g)
たんぱく質5g分 313g	たんぱく質5g分 128g
塩分 0.1g / たんぱく質 0.8g / カリウム 38mg / リン 42mg / 脂質 19.8g / 炭水化物 5.1g / 202kcal	塩分 0.2g / たんぱく質 2.0g / カリウム 38mg / リン 65mg / 脂質 20.1g / 炭水化物 1.4g / 194kcal

乳製品・豆乳 ○ ヨーグルト・クリームなど

クリーム類は乳製品の中では低たんぱく質なので、牛乳と併用するとたんぱく質をおさえながら風味豊かになります。

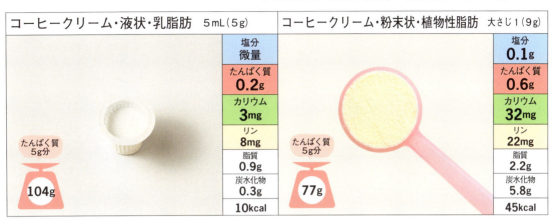

コーヒークリーム・液状・乳脂肪 5mL(5g)	コーヒークリーム・粉末状・植物性脂肪 大さじ1(9g)
塩分 微量	塩分 0.1g
たんぱく質 0.2g	たんぱく質 0.6g
カリウム 3mg	カリウム 32mg
リン 8mg	リン 22mg
脂質 0.9g	脂質 2.2g
炭水化物 0.3g	炭水化物 5.8g
たんぱく質5g分 104g	たんぱく質5g分 77g
10kcal	45kcal

コンデンスミルク（加糖練乳） 大さじ1(18g)	サワークリーム 大さじ1(15g)
塩分 微量	塩分 0g
たんぱく質 1.3g	たんぱく質 0.3g
カリウム 72mg	カリウム 未測定
リン 40mg	リン 未測定
脂質 1.5g	脂質 6.1g
炭水化物 9.6g	炭水化物 0.4g
たんぱく質5g分 71g	たんぱく質5g分 250g
57kcal	57kcal

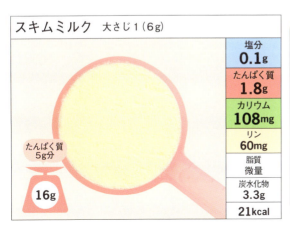

スキムミルク 大さじ1(6g)

- 塩分 0.1g
- たんぱく質 1.8g
- カリウム 108mg
- リン 60mg
- 脂質 微量
- 炭水化物 3.3g
- たんぱく質5g分 16g
- 21kcal

腎臓病の人の乳製品のとり方

　牛乳や乳製品はカルシウム源として欠かせませんが、たんぱく質、カリウム、リンも多いので、1日の摂取目安量は80gにします。腎機能が低下すると、血中のカルシウムとリンのバランスが悪くなり、高リン血症を招きます。効率よくエネルギーをとるためには、高脂肪の牛乳を選ぶのもよいでしょう。

　また、たんぱく質やカリウム、リンの量は減らし、カルシウムの量は増やした栄養成分調整食品もあります。109㌻の低リンミルクL.P.K.・粉末タイプは1本あたりカルシウム120mg、低リン乳は1パックあたり112mgです。これらをとり入れるのもよいでしょう。

チーズ①

ブルーチーズ、パルメザンチーズは塩分が多めです

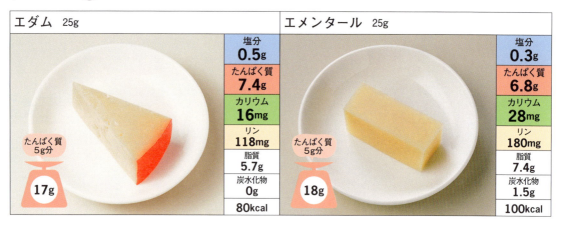

エダム 25g
- 塩分 0.5g
- たんぱく質 7.4g
- カリウム 16mg
- リン 118mg
- 脂質 5.7g
- 炭水化物 0g
- 80kcal
- たんぱく質 5g分 17g

エメンタール 25g
- 塩分 0.3g
- たんぱく質 6.8g
- カリウム 28mg
- リン 180mg
- 脂質 7.4g
- 炭水化物 1.5g
- 100kcal
- たんぱく質 5g分 18g

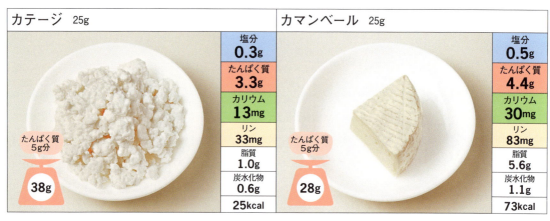

カテージ 25g
- 塩分 0.3g
- たんぱく質 3.3g
- カリウム 13mg
- リン 33mg
- 脂質 1.0g
- 炭水化物 0.6g
- 25kcal
- たんぱく質 5g分 38g

カマンベール 25g
- 塩分 0.5g
- たんぱく質 4.4g
- カリウム 30mg
- リン 83mg
- 脂質 5.6g
- 炭水化物 1.1g
- 73kcal
- たんぱく質 5g分 28g

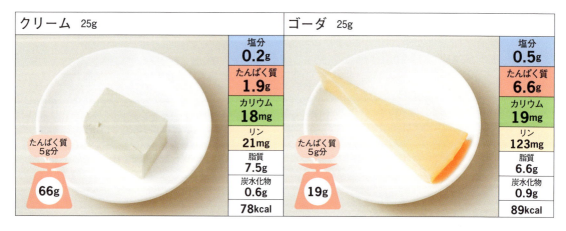

クリーム 25g
- 塩分 0.2g
- たんぱく質 1.9g
- カリウム 18mg
- リン 21mg
- 脂質 7.5g
- 炭水化物 0.6g
- 78kcal
- たんぱく質 5g分 66g

ゴーダ 25g
- 塩分 0.5g
- たんぱく質 6.6g
- カリウム 19mg
- リン 123mg
- 脂質 6.6g
- 炭水化物 0.9g
- 89kcal
- たんぱく質 5g分 19g

チーズは手軽なカルシウム源ですが、種類によって塩分やたんぱく質の量が異なります。

乳製品・豆乳　チーズ①

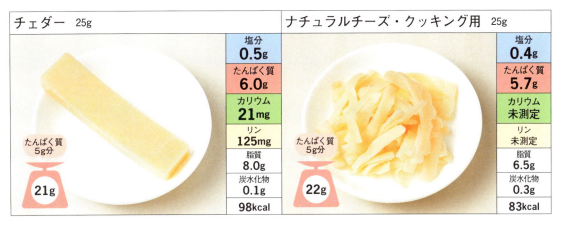

チェダー 25g	ナチュラルチーズ・クッキング用 25g
塩分 0.5g / たんぱく質 6.0g / カリウム 21mg / リン 125mg / 脂質 8.0g / 炭水化物 0.1g / 98kcal（たんぱく質5g分＝21g）	塩分 0.4g / たんぱく質 5.7g / カリウム 未測定 / リン 未測定 / 脂質 6.5g / 炭水化物 0.3g / 83kcal（たんぱく質5g分＝22g）

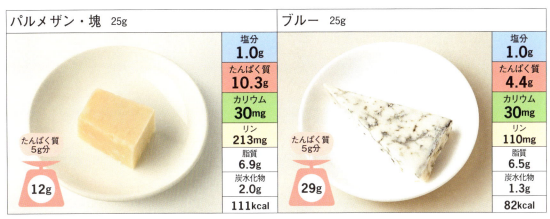

パルメザン・塊 25g	ブルー 25g
塩分 1.0g / たんぱく質 10.3g / カリウム 30mg / リン 213mg / 脂質 6.9g / 炭水化物 2.0g / 111kcal（たんぱく質5g分＝12g）	塩分 1.0g / たんぱく質 4.4g / カリウム 30mg / リン 110mg / 脂質 6.5g / 炭水化物 1.3g / 82kcal（たんぱく質5g分＝29g）

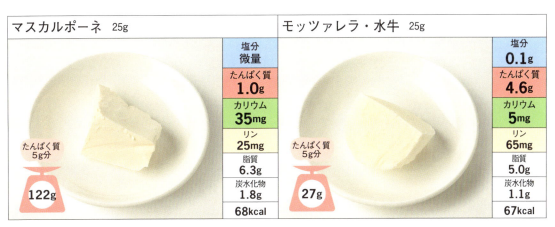

マスカルポーネ 25g	モッツァレラ・水牛 25g
塩分 微量 / たんぱく質 1.0g / カリウム 35mg / リン 25mg / 脂質 6.3g / 炭水化物 1.8g / 68kcal（たんぱく質5g分＝122g）	塩分 0.1g / たんぱく質 4.6g / カリウム 5mg / リン 65mg / 脂質 5.0g / 炭水化物 1.1g / 67kcal（たんぱく質5g分＝27g）

チーズ②

プロセスチーズの塩分は3％ほどあります

乳製品・豆乳 チーズ②

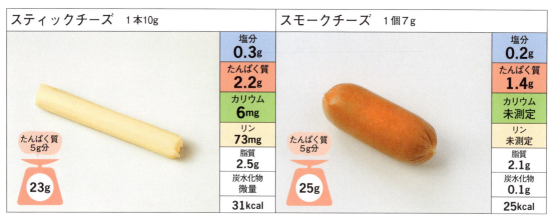

スティックチーズ　1本10g
- 塩分 0.3g
- たんぱく質 2.2g
- カリウム 6mg
- リン 73mg
- 脂質 2.5g
- 炭水化物 微量
- 31kcal
- たんぱく質5g分：23g

スモークチーズ　1個7g
- 塩分 0.2g
- たんぱく質 1.4g
- カリウム 未測定
- リン 未測定
- 脂質 2.1g
- 炭水化物 0.1g
- 25kcal
- たんぱく質5g分：25g

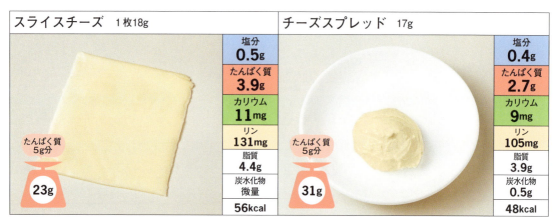

スライスチーズ　1枚18g
- 塩分 0.5g
- たんぱく質 3.9g
- カリウム 11mg
- リン 131mg
- 脂質 4.4g
- 炭水化物 微量
- 56kcal
- たんぱく質5g分：23g

チーズスプレッド　17g
- 塩分 0.4g
- たんぱく質 2.7g
- カリウム 9mg
- リン 105mg
- 脂質 3.9g
- 炭水化物 0.5g
- 48kcal
- たんぱく質5g分：31g

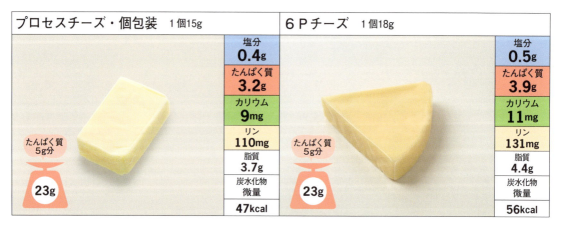

プロセスチーズ・個包装　1個15g
- 塩分 0.4g
- たんぱく質 3.2g
- カリウム 9mg
- リン 110mg
- 脂質 3.7g
- 炭水化物 微量
- 47kcal
- たんぱく質5g分：23g

6Pチーズ　1個18g
- 塩分 0.5g
- たんぱく質 3.9g
- カリウム 11mg
- リン 131mg
- 脂質 4.4g
- 炭水化物 微量
- 56kcal
- たんぱく質5g分：23g

食品選び早わかり

調味料

調味料は少量でも塩分が多く、
しょうゆやソースなどは、たんぱく質も多く含みます。
料理を減塩に仕上げるには、
少量でも調味料をきちんと計ることです。
減塩調味料も活用しましょう。

塩・しょうゆ

塩もしょうゆも料理にかかせません。計量する習慣を

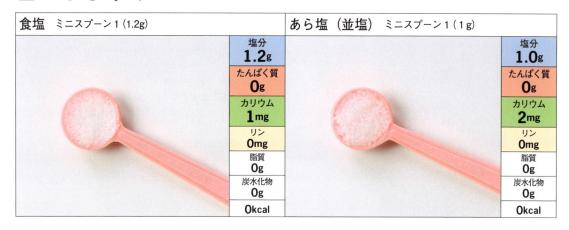

食塩 ミニスプーン1 (1.2g)
- 塩分 1.2g
- たんぱく質 0g
- カリウム 1mg
- リン 0mg
- 脂質 0g
- 炭水化物 0g
- 0kcal

あら塩（並塩） ミニスプーン1 (1g)
- 塩分 1.0g
- たんぱく質 0g
- カリウム 2mg
- リン 0mg
- 脂質 0g
- 炭水化物 0g
- 0kcal

精製塩 ミニスプーン1 (1.2g)
- 塩分 1.2g
- たんぱく質 0g
- カリウム 微量
- リン 0mg
- 脂質 0g
- 炭水化物 0g
- 0kcal

黒ごま塩 ミニスプーン1 (0.6g)
- 塩分 0.1g
- たんぱく質 0.1g
- カリウム 未測定
- リン 未測定
- 脂質 0.2g
- 炭水化物 0.1g
- 3kcal

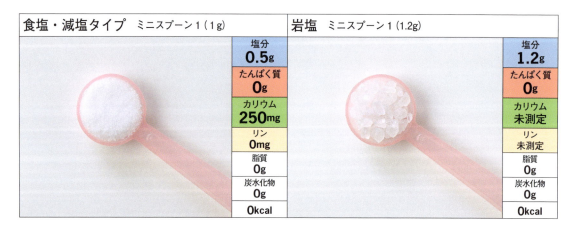

食塩・減塩タイプ ミニスプーン1 (1g)
- 塩分 0.5g
- たんぱく質 0g
- カリウム 250mg
- リン 0mg
- 脂質 0g
- 炭水化物 0g
- 0kcal

岩塩 ミニスプーン1 (1.2g)
- 塩分 1.2g
- たんぱく質 0g
- カリウム 未測定
- リン 未測定
- 脂質 0g
- 炭水化物 0g
- 0kcal

しょうゆには塩分だけでなく、たんぱく質も含まれるので注意しましょう。塩もしょうゆも減塩のものがあります。

調味料　塩・しょうゆ

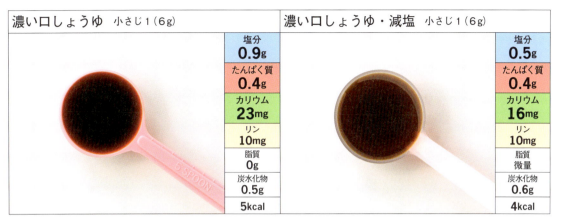

濃い口しょうゆ　小さじ1（6g）
- 塩分 0.9g
- たんぱく質 0.4g
- カリウム 23mg
- リン 10mg
- 脂質 0g
- 炭水化物 0.5g
- 5kcal

濃い口しょうゆ・減塩　小さじ1（6g）
- 塩分 0.5g
- たんぱく質 0.4g
- カリウム 16mg
- リン 10mg
- 脂質 微量
- 炭水化物 0.6g
- 4kcal

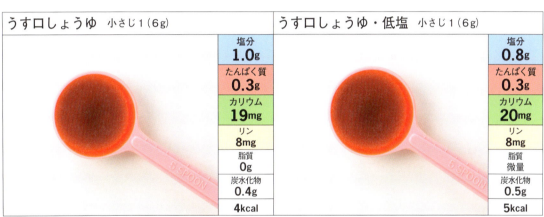

うす口しょうゆ　小さじ1（6g）
- 塩分 1.0g
- たんぱく質 0.3g
- カリウム 19mg
- リン 8mg
- 脂質 0g
- 炭水化物 0.4g
- 4kcal

うす口しょうゆ・低塩　小さじ1（6g）
- 塩分 0.8g
- たんぱく質 0.3g
- カリウム 20mg
- リン 8mg
- 脂質 微量
- 炭水化物 0.5g
- 5kcal

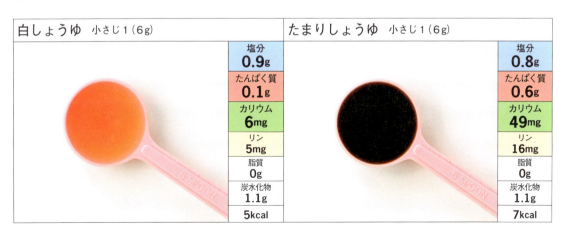

白しょうゆ　小さじ1（6g）
- 塩分 0.9g
- たんぱく質 0.1g
- カリウム 6mg
- リン 5mg
- 脂質 0g
- 炭水化物 1.1g
- 5kcal

たまりしょうゆ　小さじ1（6g）
- 塩分 0.8g
- たんぱく質 0.6g
- カリウム 49mg
- リン 16mg
- 脂質 0g
- 炭水化物 1.1g
- 7kcal

みそ

調味料 ◎ みそ

みそは塩分もたんぱく質も含む調味料です

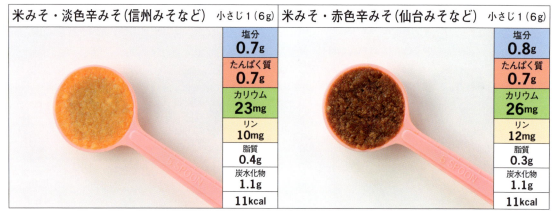

米みそ・淡色辛みそ（信州みそなど）　小さじ1（6g）
- 塩分 0.7g
- たんぱく質 0.7g
- カリウム 23mg
- リン 10mg
- 脂質 0.4g
- 炭水化物 1.1g
- 11kcal

米みそ・赤色辛みそ（仙台みそなど）　小さじ1（6g）
- 塩分 0.8g
- たんぱく質 0.7g
- カリウム 26mg
- リン 12mg
- 脂質 0.3g
- 炭水化物 1.1g
- 11kcal

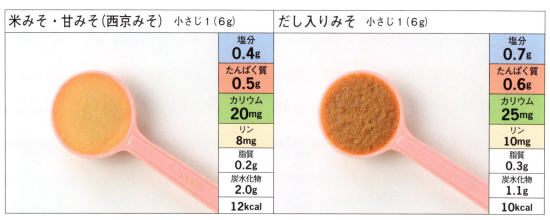

米みそ・甘みそ（西京みそ）　小さじ1（6g）
- 塩分 0.4g
- たんぱく質 0.5g
- カリウム 20mg
- リン 8mg
- 脂質 0.2g
- 炭水化物 2.0g
- 12kcal

だし入りみそ　小さじ1（6g）
- 塩分 0.7g
- たんぱく質 0.6g
- カリウム 25mg
- リン 10mg
- 脂質 0.3g
- 炭水化物 1.1g
- 10kcal

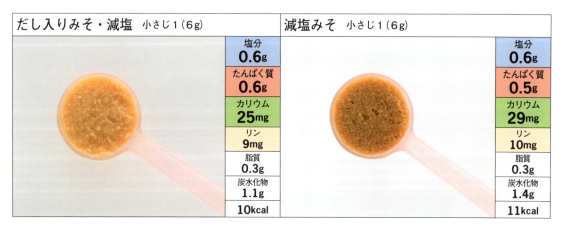

だし入りみそ・減塩　小さじ1（6g）
- 塩分 0.6g
- たんぱく質 0.6g
- カリウム 25mg
- リン 9mg
- 脂質 0.3g
- 炭水化物 1.1g
- 10kcal

減塩みそ　小さじ1（6g）
- 塩分 0.6g
- たんぱく質 0.5g
- カリウム 29mg
- リン 10mg
- 脂質 0.3g
- 炭水化物 1.4g
- 11kcal

減塩のため、汁物は1日1杯まで。みそ汁1杯にだし¾カップ＋みそ小さじ1が目安。小ぶりの汁わんに盛ると多く見えます。

調味料 ◎ みそ

豆みそ 小さじ1(6g)	麦みそ 小さじ1(6g)
塩分 0.7g	塩分 0.6g
たんぱく質 0.9g	たんぱく質 0.5g
カリウム 56mg	カリウム 20mg
リン 15mg	リン 7mg
脂質 0.6g	脂質 0.3g
炭水化物 0.6g	炭水化物 1.5g
12kcal	11kcal

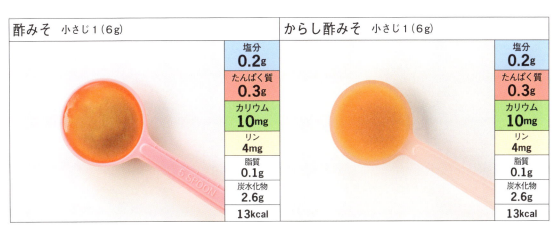

酢みそ 小さじ1(6g)	からし酢みそ 小さじ1(6g)
塩分 0.2g	塩分 0.2g
たんぱく質 0.3g	たんぱく質 0.3g
カリウム 10mg	カリウム 10mg
リン 4mg	リン 4mg
脂質 0.1g	脂質 0.1g
炭水化物 2.6g	炭水化物 2.6g
13kcal	13kcal

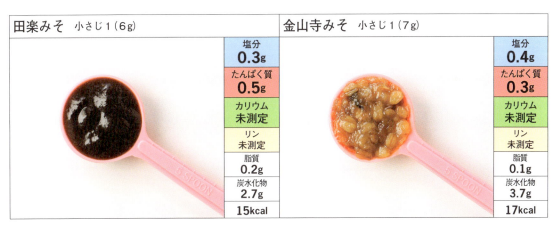

田楽みそ 小さじ1(6g)	金山寺みそ 小さじ1(7g)
塩分 0.3g	塩分 0.4g
たんぱく質 0.5g	たんぱく質 0.3g
カリウム 未測定	カリウム 未測定
リン 未測定	リン 未測定
脂質 0.2g	脂質 0.1g
炭水化物 2.7g	炭水化物 3.7g
15kcal	17kcal

ソース・トマト調味料　「かける」より「つける」ほうが使用量は少ない

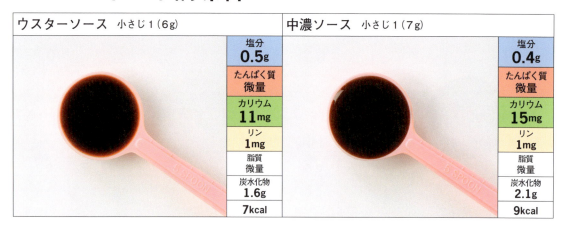

ウスターソース　小さじ1 (6g)
- 塩分 0.5g
- たんぱく質 微量
- カリウム 11mg
- リン 1mg
- 脂質 微量
- 炭水化物 1.6g
- 7kcal

中濃ソース　小さじ1 (7g)
- 塩分 0.4g
- たんぱく質 微量
- カリウム 15mg
- リン 1mg
- 脂質 微量
- 炭水化物 2.1g
- 9kcal

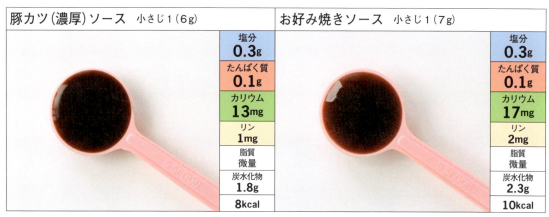

豚カツ（濃厚）ソース　小さじ1 (6g)
- 塩分 0.3g
- たんぱく質 0.1g
- カリウム 13mg
- リン 1mg
- 脂質 微量
- 炭水化物 1.8g
- 8kcal

お好み焼きソース　小さじ1 (7g)
- 塩分 0.3g
- たんぱく質 0.1g
- カリウム 17mg
- リン 2mg
- 脂質 微量
- 炭水化物 2.3g
- 10kcal

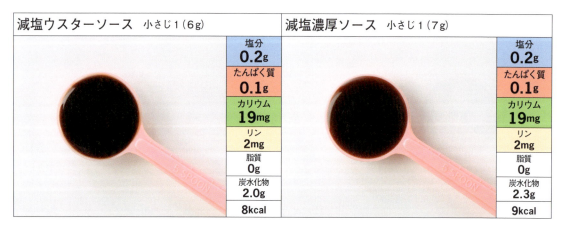

減塩ウスターソース　小さじ1 (6g)
- 塩分 0.2g
- たんぱく質 0.1g
- カリウム 19mg
- リン 2mg
- 脂質 0g
- 炭水化物 2.0g
- 8kcal

減塩濃厚ソース　小さじ1 (7g)
- 塩分 0.2g
- たんぱく質 0.1g
- カリウム 19mg
- リン 2mg
- 脂質 0g
- 炭水化物 2.3g
- 9kcal

しょうゆやみそに比べるとたんぱく質は少なく、酸味やスパイシーさがあるので、味つけのアクセントになります。

調味料 ● ソース・トマト調味料

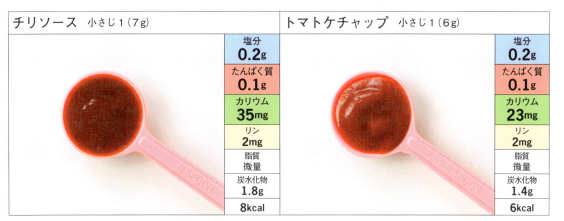

チリソース 小さじ1（7g）
- 塩分 0.2g
- たんぱく質 0.1g
- カリウム 35mg
- リン 2mg
- 脂質 微量
- 炭水化物 1.8g
- 8kcal

トマトケチャップ 小さじ1（6g）
- 塩分 0.2g
- たんぱく質 0.1g
- カリウム 23mg
- リン 2mg
- 脂質 微量
- 炭水化物 1.4g
- 6kcal

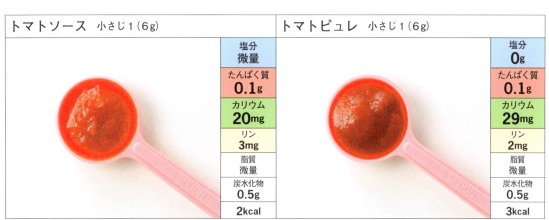

トマトソース 小さじ1（6g）
- 塩分 微量
- たんぱく質 0.1g
- カリウム 20mg
- リン 3mg
- 脂質 微量
- 炭水化物 0.5g
- 2kcal

トマトピュレ 小さじ1（6g）
- 塩分 0g
- たんぱく質 0.1g
- カリウム 29mg
- リン 2mg
- 脂質 微量
- 炭水化物 0.5g
- 3kcal

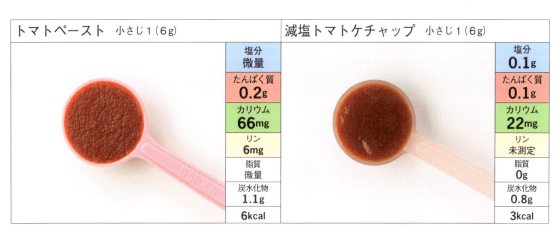

トマトペースト 小さじ1（6g）
- 塩分 微量
- たんぱく質 0.2g
- カリウム 66mg
- リン 6mg
- 脂質 微量
- 炭水化物 1.1g
- 6kcal

減塩トマトケチャップ 小さじ1（6g）
- 塩分 0.1g
- たんぱく質 0.1g
- カリウム 22mg
- リン 未測定
- 脂質 0g
- 炭水化物 0.8g
- 3kcal

マヨネーズ・ドレッシング

材料によって塩分とたんぱく質量が変わります

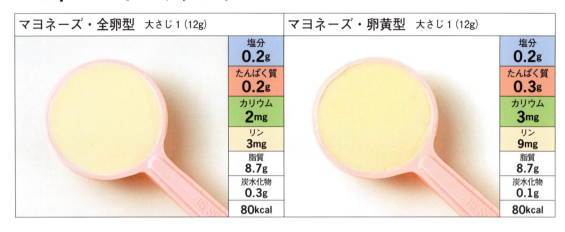

マヨネーズ・全卵型　大さじ1（12g）
- 塩分 0.2g
- たんぱく質 0.2g
- カリウム 2mg
- リン 3mg
- 脂質 8.7g
- 炭水化物 0.3g
- 80kcal

マヨネーズ・卵黄型　大さじ1（12g）
- 塩分 0.2g
- たんぱく質 0.3g
- カリウム 3mg
- リン 9mg
- 脂質 8.7g
- 炭水化物 0.1g
- 80kcal

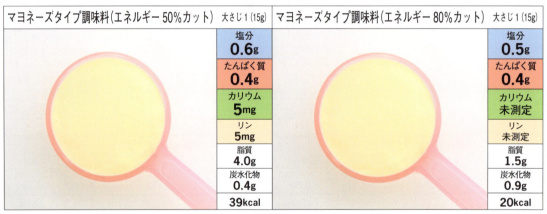

マヨネーズタイプ調味料（エネルギー50％カット）　大さじ1（15g）
- 塩分 0.6g
- たんぱく質 0.4g
- カリウム 5mg
- リン 5mg
- 脂質 4.0g
- 炭水化物 0.4g
- 39kcal

マヨネーズタイプ調味料（エネルギー80％カット）　大さじ1（15g）
- 塩分 0.5g
- たんぱく質 0.4g
- カリウム 未測定
- リン 未測定
- 脂質 1.5g
- 炭水化物 0.9g
- 20kcal

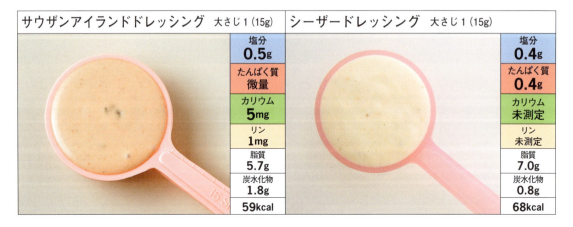

サウザンアイランドドレッシング　大さじ1（15g）
- 塩分 0.5g
- たんぱく質 微量
- カリウム 5mg
- リン 1mg
- 脂質 5.7g
- 炭水化物 1.8g
- 59kcal

シーザードレッシング　大さじ1（15g）
- 塩分 0.4g
- たんぱく質 0.4g
- カリウム 未測定
- リン 未測定
- 脂質 7.0g
- 炭水化物 0.8g
- 68kcal

卵で作るマヨネーズはたんぱく質を含みます。しょうゆベースの和風や中華風のドレッシングは高塩分です。

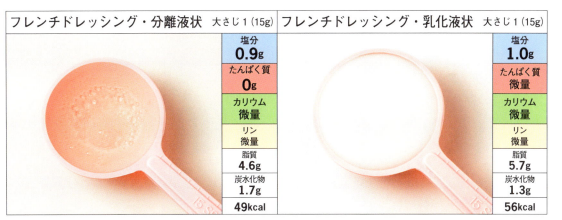

フレンチドレッシング・分離液状　大さじ1（15g）
- 塩分 0.9g
- たんぱく質 0g
- カリウム 微量
- リン 微量
- 脂質 4.6g
- 炭水化物 1.7g
- 49kcal

フレンチドレッシング・乳化液状　大さじ1（15g）
- 塩分 1.0g
- たんぱく質 微量
- カリウム 微量
- リン 微量
- 脂質 5.7g
- 炭水化物 1.3g
- 56kcal

和風ドレッシング・しょうゆごま入り　大さじ1（15g）
- 塩分 0.5g
- たんぱく質 0.2g
- カリウム 11mg
- リン 6mg
- 脂質 2.1g
- 炭水化物 1.5g
- 27kcal

ノンオイルドレッシング・和風ごま　大さじ1（15g）
- 塩分 1.1g
- たんぱく質 0.5g
- カリウム 20mg
- リン 8mg
- 脂質 微量
- 炭水化物 2.6g
- 12kcal

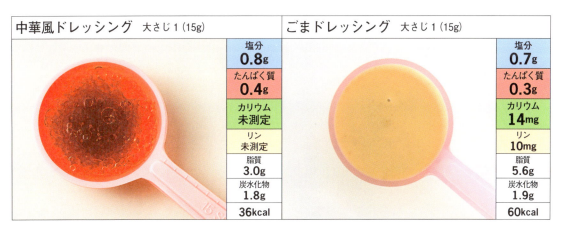

中華風ドレッシング　大さじ1（15g）
- 塩分 0.8g
- たんぱく質 0.4g
- カリウム 未測定
- リン 未測定
- 脂質 3.0g
- 炭水化物 1.8g
- 36kcal

ごまドレッシング　大さじ1（15g）
- 塩分 0.7g
- たんぱく質 0.3g
- カリウム 14mg
- リン 10mg
- 脂質 5.6g
- 炭水化物 1.9g
- 60kcal

調味料　マヨネーズ・ドレッシング

中国風調味料・スパイスなど

うま味がある調味料はたんぱく質を含みます

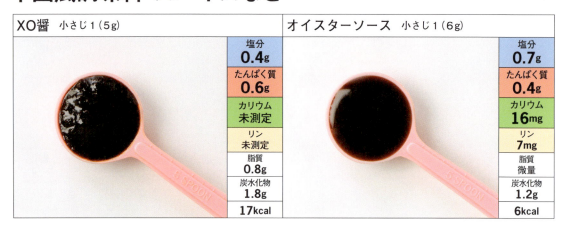

XO醬　小さじ1（5g）
- 塩分 0.4g
- たんぱく質 0.6g
- カリウム 未測定
- リン 未測定
- 脂質 0.8g
- 炭水化物 1.8g
- 17kcal

オイスターソース　小さじ1（6g）
- 塩分 0.7g
- たんぱく質 0.4g
- カリウム 16mg
- リン 7mg
- 脂質 微量
- 炭水化物 1.2g
- 6kcal

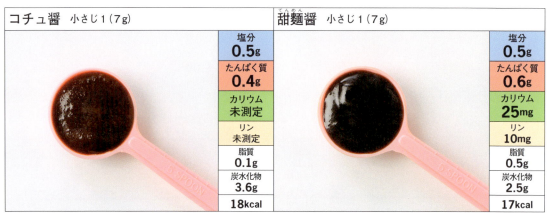

コチュ醬　小さじ1（7g）
- 塩分 0.5g
- たんぱく質 0.4g
- カリウム 未測定
- リン 未測定
- 脂質 0.1g
- 炭水化物 3.6g
- 18kcal

甜麺醬　小さじ1（7g）
- 塩分 0.5g
- たんぱく質 0.6g
- カリウム 25mg
- リン 10mg
- 脂質 0.5g
- 炭水化物 2.5g
- 17kcal

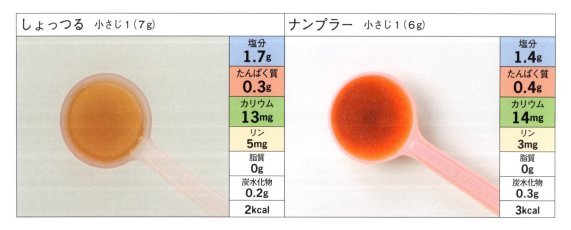

しょっつる　小さじ1（7g）
- 塩分 1.7g
- たんぱく質 0.3g
- カリウム 13mg
- リン 5mg
- 脂質 0g
- 炭水化物 0.2g
- 2kcal

ナンプラー　小さじ1（6g）
- 塩分 1.4g
- たんぱく質 0.4g
- カリウム 14mg
- リン 3mg
- 脂質 0g
- 炭水化物 0.3g
- 3kcal

複雑なうま味や辛味があります。塩分に気をつけて、少量を料理のアクセントに利用します。

調味料◎中国風調味料・スパイスなど

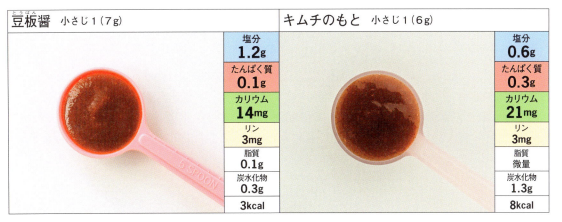

豆板醤 小さじ1（7g）	キムチのもと 小さじ1（6g）
塩分 1.2g	塩分 0.6g
たんぱく質 0.1g	たんぱく質 0.3g
カリウム 14mg	カリウム 21mg
リン 3mg	リン 3mg
脂質 0.1g	脂質 微量
炭水化物 0.3g	炭水化物 1.3g
3kcal	8kcal

花椒塩 小さじ1（3g）	カレー粉 小さじ1（2g）
塩分 4.6g	塩分 微量
たんぱく質 0.1g	たんぱく質 0.2g
カリウム 未測定	カリウム 34mg
リン 未測定	リン 8mg
脂質 0.1g	脂質 0.2g
炭水化物 0.7g	炭水化物 0.6g
4kcal	7kcal

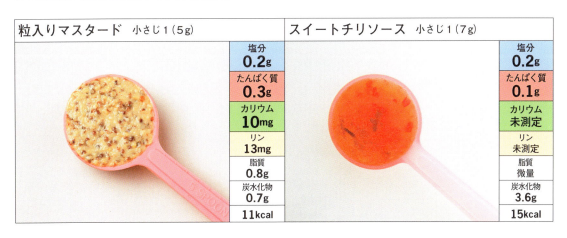

粒入りマスタード 小さじ1（5g）	スイートチリソース 小さじ1（7g）
塩分 0.2g	塩分 0.2g
たんぱく質 0.3g	たんぱく質 0.1g
カリウム 10mg	カリウム 未測定
リン 13mg	リン 未測定
脂質 0.8g	脂質 微量
炭水化物 0.7g	炭水化物 3.6g
11kcal	15kcal

酢・めんつゆ・たれなど

商品の栄養表示で塩分とたんぱく質を要確認

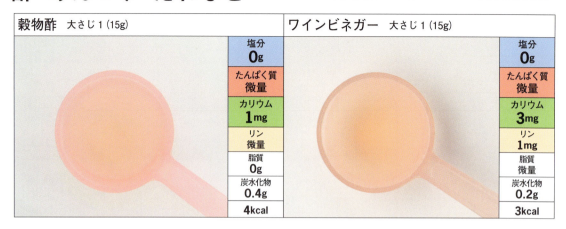

穀物酢 大さじ1 (15g)	ワインビネガー 大さじ1 (15g)
塩分 0g	塩分 0g
たんぱく質 微量	たんぱく質 微量
カリウム 1mg	カリウム 3mg
リン 微量	リン 1mg
脂質 0g	脂質 微量
炭水化物 0.4g	炭水化物 0.2g
4kcal	3kcal

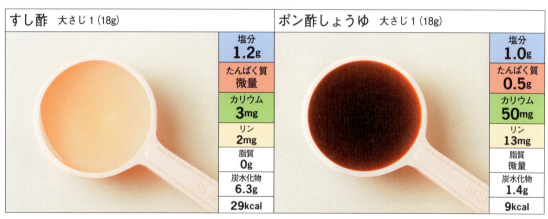

すし酢 大さじ1 (18g)	ポン酢しょうゆ 大さじ1 (18g)
塩分 1.2g	塩分 1.0g
たんぱく質 微量	たんぱく質 0.5g
カリウム 3mg	カリウム 50mg
リン 2mg	リン 13mg
脂質 0g	脂質 微量
炭水化物 6.3g	炭水化物 1.4g
29kcal	9kcal

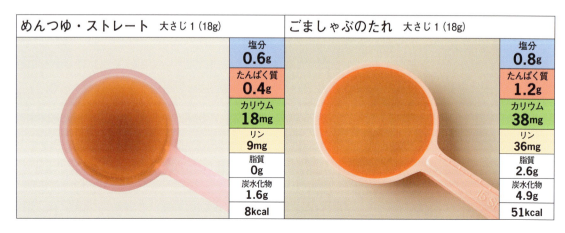

めんつゆ・ストレート 大さじ1 (18g)	ごましゃぶのたれ 大さじ1 (18g)
塩分 0.6g	塩分 0.8g
たんぱく質 0.4g	たんぱく質 1.2g
カリウム 18mg	カリウム 38mg
リン 9mg	リン 36mg
脂質 0g	脂質 2.6g
炭水化物 1.6g	炭水化物 4.9g
8kcal	51kcal

手軽なめんつゆや合わせ調味料は量を少なめに使って塩分をおさえます。酢の酸味は減塩に効果的です。

調味料◎酢・めんつゆ・たれなど

焼き肉のたれ・中辛　大さじ1（18g）
- 塩分 1.5g
- たんぱく質 0.6g
- カリウム 41mg
- リン 16mg
- 脂質 0.4g
- 炭水化物 5.8g
- 30kcal

エビチリのもと　大さじ1（18g）
- 塩分 0.3g
- たんぱく質 0.1g
- カリウム 27mg
- リン 8mg
- 脂質 0.2g
- 炭水化物 1.7g
- 10kcal

デミグラスソース　1人分（70g）
- 塩分 0.9g
- たんぱく質 2.0g
- カリウム 126mg
- リン 37mg
- 脂質 2.1g
- 炭水化物 7.7g
- 57kcal

ホワイトソース　1人分（70g）
- 塩分 0.7g
- たんぱく質 0.8g
- カリウム 43mg
- リン 29mg
- 脂質 4.3g
- 炭水化物 6.6g
- 69kcal

ミートソース　1人分（70g）
- 塩分 1.1g
- たんぱく質 2.7g
- カリウム 175mg
- リン 33mg
- 脂質 3.5g
- 炭水化物 6.6g
- 67kcal

麻婆豆腐のもと　1人分（30g）
- 塩分 1.1g
- たんぱく質 1.3g
- カリウム 17mg
- リン 11mg
- 脂質 1.9g
- 炭水化物 3.1g
- 35kcal

だし・ルウなど

市販の顆粒だしは規定どおりに作ると塩分約0.2％

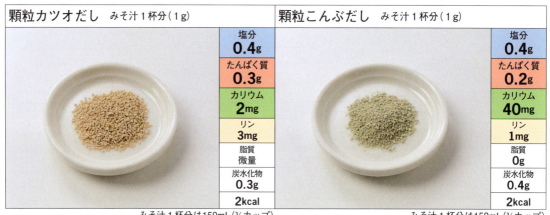

顆粒カツオだし みそ汁1杯分（1g）	顆粒こんぶだし みそ汁1杯分（1g）
塩分 0.4g	塩分 0.4g
たんぱく質 0.3g	たんぱく質 0.2g
カリウム 2mg	カリウム 40mg
リン 3mg	リン 1mg
脂質 微量	脂質 0g
炭水化物 0.3g	炭水化物 0.4g
2kcal	2kcal
みそ汁1杯分は150mL（¾カップ）	みそ汁1杯分は150mL（¾カップ）

洋風固形ブイヨン（キューブ） 1個（4g）	洋風顆粒ブイヨン 小さじ1（3g）
塩分 1.7g	塩分 1.3g
たんぱく質 0.3g	たんぱく質 0.2g
カリウム 8mg	カリウム 6mg
リン 3mg	リン 2mg
脂質 0.2g	脂質 0.1g
炭水化物 1.6g	炭水化物 1.2g
9kcal	7kcal
湯300mLに1個	

中国風顆粒ブイヨン 小さじ1（3g）	中国風ブイヨン・半練りタイプ 小さじ1（5g）
塩分 1.4g	塩分 2.0g
たんぱく質 0.3g	たんぱく質 0.5g
カリウム 27mg	カリウム 未測定
リン 7mg	リン 未測定
脂質 微量	脂質 1.8g
炭水化物 1.2g	炭水化物 0.7g
6kcal	21kcal
湯300mLに小さじ1	

市販の顆粒だしで作っただしは塩分約0.2%、削りガツオで手作りしただしは塩分約0.1%です。

調味料◎だし・ルウなど

顆粒鶏がらだし　スープ1杯分(2.5g)
- 塩分 1.2g
- たんぱく質 0.4g
- カリウム 未測定
- リン 未測定
- 脂質 0.1g
- 炭水化物 0.7g
- 5kcal

スープ1杯分は150mL(¾カップ)

白だし　小さじ1(6g)
- 塩分 0.5g
- たんぱく質 0.2g
- カリウム 未測定
- リン 未測定
- 脂質 0g
- 炭水化物 0.4g
- 2kcal

手作りカツオだし　みそ汁1杯分(150mL)
- 塩分 0.2g
- たんぱく質 0.3g
- カリウム 44mg
- リン 27mg
- 脂質 微量
- 炭水化物 0.3g
- 3kcal

水に対して3%の削りガツオを加えて作ったもの

手作りこんぶだし　みそ汁1杯分(150mL)
- 塩分 0.3g
- たんぱく質 0.2g
- カリウム 210mg
- リン 9mg
- 脂質 微量
- 炭水化物 1.4g
- 6kcal

水に対して3%のこんぶを加えて作ったもの

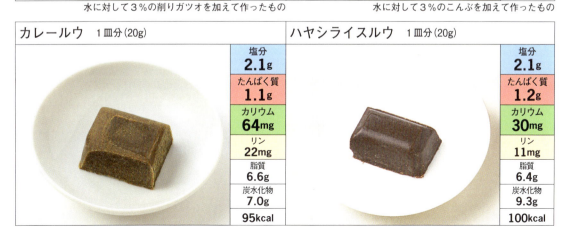

カレールウ　1皿分(20g)
- 塩分 2.1g
- たんぱく質 1.1g
- カリウム 64mg
- リン 22mg
- 脂質 6.6g
- 炭水化物 7.0g
- 95kcal

ハヤシライスルウ　1皿分(20g)
- 塩分 2.1g
- たんぱく質 1.2g
- カリウム 30mg
- リン 11mg
- 脂質 6.4g
- 炭水化物 9.3g
- 100kcal

調味料◎ふりかけ

ふりかけ

ごはんにかけるなら、おかずはうす味に

ふりかけ・サケ　1食分小さじ1（2g）
- 塩分 0.3g
- たんぱく質 0.5g
- カリウム 未測定
- リン 未測定
- 脂質 0.2g
- 炭水化物 0.9g
- 7kcal

ふりかけ・たらこ　1食分小さじ1（2.5g）
- 塩分 0.4g
- たんぱく質 0.7g
- カリウム 未測定
- リン 未測定
- 脂質 0.3g
- 炭水化物 0.9g
- 10kcal

ふりかけ・のりたまご　1食分小さじ1（2.5g）
- 塩分 0.2g
- たんぱく質 0.5g
- カリウム 12mg
- リン 12mg
- 脂質 0.5g
- 炭水化物 1.0g
- 11kcal

ふりかけ・カツオ　1食分小さじ1強（2g）
- 塩分 0.2g
- たんぱく質 0.9g
- カリウム 未測定
- リン 未測定
- 脂質 0.3g
- 炭水化物 0.4g
- 8kcal

ゆかり　ミニスプーン1強（1g）
- 塩分 0.5g
- たんぱく質 0.1g
- カリウム 未測定
- リン 未測定
- 脂質 微量
- 炭水化物 0.4g
- 2kcal

お茶漬けのもとの塩分は？

市販品のお茶漬けのもとのデータです。湯を加えるのでうす味に感じますが、塩分は多いので、組み合わせるおかずは減塩を心がけましょう。

種類	1食分	塩分	たんぱく質	エネルギー
お茶漬けのもと・サケ	5.5g	2.3g	1.3g	13kcal
お茶漬けのもと・梅	5.5g	2.4g	0.6g	12kcal
お茶漬けのもと・わさび	5.3g	2.1g	0.6g	12kcal

> 食品選び早わかり

油脂
砂糖

塩分、たんぱく質、カリウム、リン、いずれもほとんど含まず、
エネルギー補給になる食品です。
油は調理のときに少し多めに加えたり、
砂糖はコーヒーや紅茶に多めに加えたりなど
エネルギー不足にならないように利用しましょう。

油脂

植物油は、塩分、たんぱく質、カリウム、リンもほぼゼロ

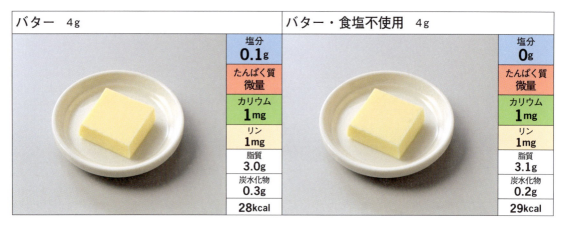

バター 4g	バター・食塩不使用 4g
塩分 0.1g	塩分 0g
たんぱく質 微量	たんぱく質 微量
カリウム 1mg	カリウム 1mg
リン 1mg	リン 1mg
脂質 3.0g	脂質 3.1g
炭水化物 0.3g	炭水化物 0.2g
28kcal	29kcal

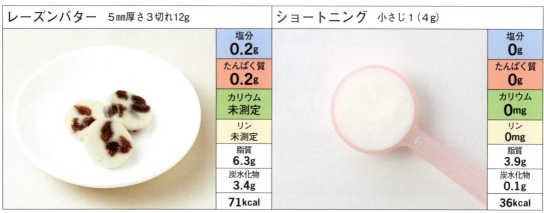

レーズンバター 5mm厚さ3切れ12g	ショートニング 小さじ1（4g）
塩分 0.2g	塩分 0g
たんぱく質 0.2g	たんぱく質 0g
カリウム 未測定	カリウム 0mg
リン 未測定	リン 0mg
脂質 6.3g	脂質 3.9g
炭水化物 3.4g	炭水化物 0.1g
71kcal	36kcal

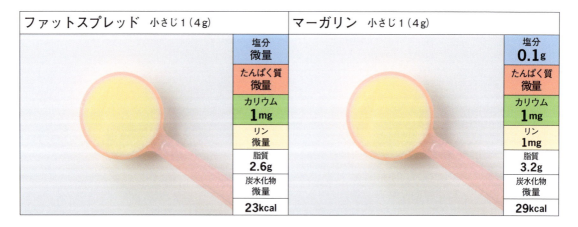

ファットスプレッド 小さじ1（4g）	マーガリン 小さじ1（4g）
塩分 微量	塩分 0.1g
たんぱく質 微量	たんぱく質 微量
カリウム 1mg	カリウム 1mg
リン 微量	リン 1mg
脂質 2.6g	脂質 3.2g
炭水化物 微量	炭水化物 微量
23kcal	29kcal

油はエネルギー補給源になります。お通じを整える効用も。1日大さじ2弱(20g)を目安に料理に使いましょう。

油脂・砂糖　油脂

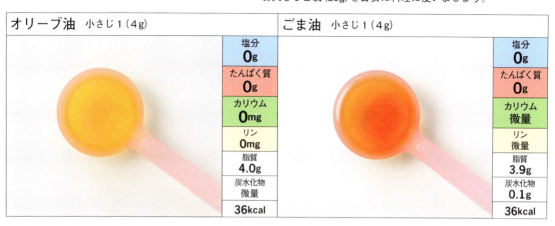

オリーブ油 小さじ1 (4g)	ごま油 小さじ1 (4g)
塩分 0g	塩分 0g
たんぱく質 0g	たんぱく質 0g
カリウム 0mg	カリウム 微量
リン 0mg	リン 微量
脂質 4.0g	脂質 3.9g
炭水化物 微量	炭水化物 0.1g
36kcal	36kcal

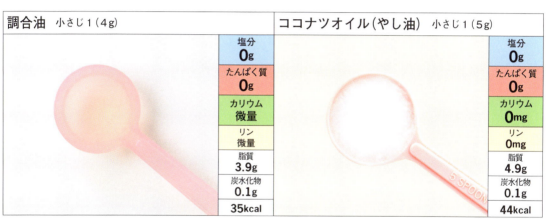

調合油 小さじ1 (4g)	ココナツオイル(やし油) 小さじ1 (5g)
塩分 0g	塩分 0g
たんぱく質 0g	たんぱく質 0g
カリウム 微量	カリウム 0mg
リン 微量	リン 0mg
脂質 3.9g	脂質 4.9g
炭水化物 0.1g	炭水化物 0.1g
35kcal	44kcal

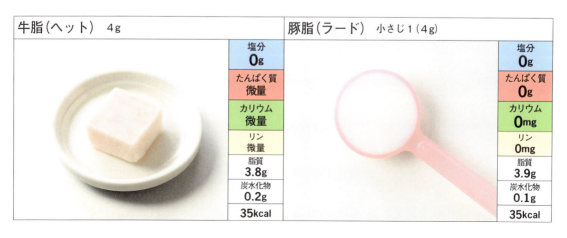

牛脂(ヘット) 4g	豚脂(ラード) 小さじ1 (4g)
塩分 0g	塩分 0g
たんぱく質 微量	たんぱく質 0g
カリウム 微量	カリウム 0mg
リン 微量	リン 0mg
脂質 3.8g	脂質 3.9g
炭水化物 0.2g	炭水化物 0.1g
35kcal	35kcal

油脂・砂糖◎砂糖・甘味

砂糖・甘味

エネルギー補給にじょうずに使いましょう

砂糖（上白糖）　小さじ1（3g）
- 塩分 0g
- たんぱく質 0g
- カリウム 微量
- リン 微量
- 脂質 0g
- 炭水化物 3.0g
- 12kcal

黒砂糖　9g
- 塩分 微量
- たんぱく質 0.1g
- カリウム 99mg
- リン 3mg
- 脂質 微量
- 炭水化物 8.0g
- 32kcal

9gは大さじ1に相当

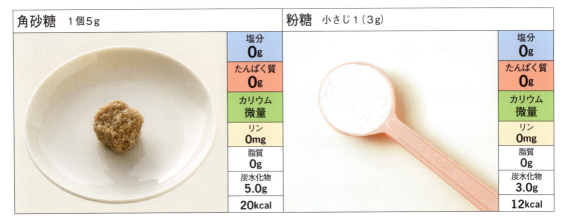

角砂糖　1個5g
- 塩分 0g
- たんぱく質 0g
- カリウム 微量
- リン 0mg
- 脂質 0g
- 炭水化物 5.0g
- 20kcal

粉糖　小さじ1（3g）
- 塩分 0g
- たんぱく質 0g
- カリウム 微量
- リン 0mg
- 脂質 0g
- 炭水化物 3.0g
- 12kcal

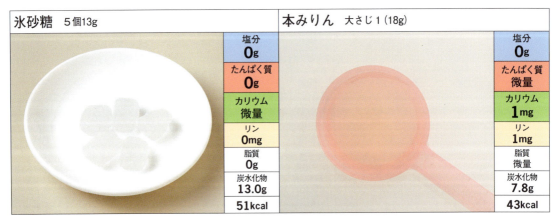

氷砂糖　5個13g
- 塩分 0g
- たんぱく質 0g
- カリウム 微量
- リン 0mg
- 脂質 0g
- 炭水化物 13.0g
- 51kcal

本みりん　大さじ1（18g）
- 塩分 0g
- たんぱく質 微量
- カリウム 1mg
- リン 1mg
- 脂質 微量
- 炭水化物 7.8g
- 43kcal

砂糖も油同様に、重要なエネルギー供給源になります。とりすぎは要注意ですが、1日に大さじ1⅓（10〜11g）を目安に。

油脂・砂糖・砂糖・甘味

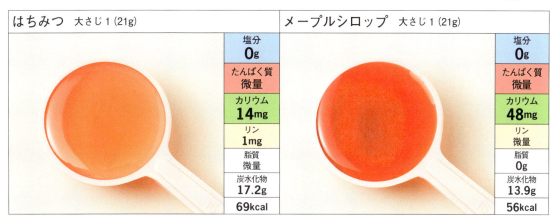

はちみつ 大さじ1 (21g)	メープルシロップ 大さじ1 (21g)
塩分 0g	塩分 0g
たんぱく質 微量	たんぱく質 微量
カリウム 14mg	カリウム 48mg
リン 1mg	リン 微量
脂質 微量	脂質 0g
炭水化物 17.2g	炭水化物 13.9g
69kcal	56kcal

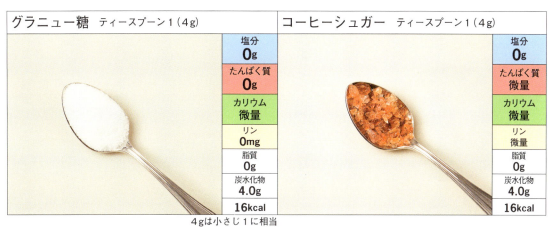

グラニュー糖 ティースプーン1 (4g)	コーヒーシュガー ティースプーン1 (4g)
塩分 0g	塩分 0g
たんぱく質 0g	たんぱく質 微量
カリウム 微量	カリウム 微量
リン 0mg	リン 微量
脂質 0g	脂質 0g
炭水化物 4.0g	炭水化物 4.0g
16kcal	16kcal

4gは小さじ1に相当

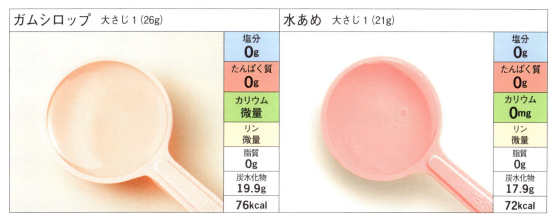

ガムシロップ 大さじ1 (26g)	水あめ 大さじ1 (21g)
塩分 0g	塩分 0g
たんぱく質 0g	たんぱく質 0g
カリウム 微量	カリウム 0mg
リン 微量	リン 微量
脂質 0g	脂質 0g
炭水化物 19.9g	炭水化物 17.9g
76kcal	72kcal

ジャム・クリームなど

ピーナッツバターは塩分もたんぱく質もあるので控えて

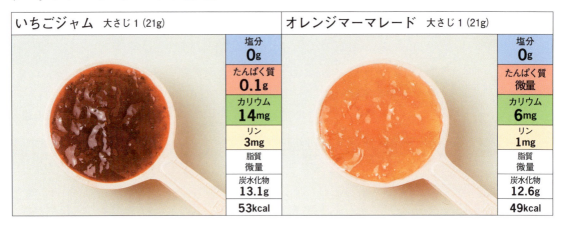

いちごジャム 大さじ1 (21g)
- 塩分 0g
- たんぱく質 0.1g
- カリウム 14mg
- リン 3mg
- 脂質 微量
- 炭水化物 13.1g
- 53kcal

オレンジマーマレード 大さじ1 (21g)
- 塩分 0g
- たんぱく質 微量
- カリウム 6mg
- リン 1mg
- 脂質 微量
- 炭水化物 12.6g
- 49kcal

ブルーベリージャム 大さじ1 (21g)
- 塩分 0g
- たんぱく質 0.1g
- カリウム 16mg
- リン 3mg
- 脂質 微量
- 炭水化物 8.7g
- 37kcal

ホイップクリーム・乳脂肪 20g
- 塩分 微量
- たんぱく質 0.3g
- カリウム 14mg
- リン 9mg
- 脂質 7.5g
- 炭水化物 3.2g
- 82kcal

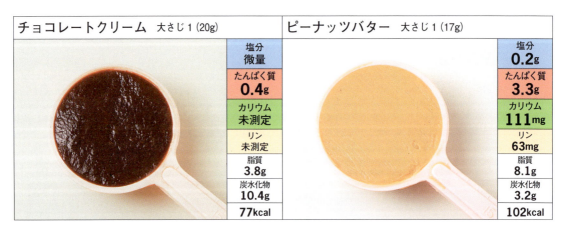

チョコレートクリーム 大さじ1 (20g)
- 塩分 微量
- たんぱく質 0.4g
- カリウム 未測定
- リン 未測定
- 脂質 3.8g
- 炭水化物 10.4g
- 77kcal

ピーナッツバター 大さじ1 (17g)
- 塩分 0.2g
- たんぱく質 3.3g
- カリウム 111mg
- リン 63mg
- 脂質 8.1g
- 炭水化物 3.2g
- 102kcal

食品選び早わかり

菓子
飲料

材料に小麦粉や米、卵、乳製品、ゼラチンを使用した菓子は
たんぱく質量が多くなります。
また、ジュースは果物や野菜の割合が多くなると
カリウムも多くなります。
材料をチェックして選ぶようにしましょう。

洋菓子

材料に卵や乳製品を使うものはたんぱく質が多い

ショートケーキ 1個90g
- 塩分 0.2g
- たんぱく質 5.7g
- カリウム 108mg
- リン 90mg
- 脂質 12.1g
- 炭水化物 37.4g
- 283kcal

チョコレートケーキ 1個95g
- 塩分 0.2g
- たんぱく質 4.5g
- カリウム 未測定
- リン 未測定
- 脂質 24.9g
- 炭水化物 28.2g
- 354kcal

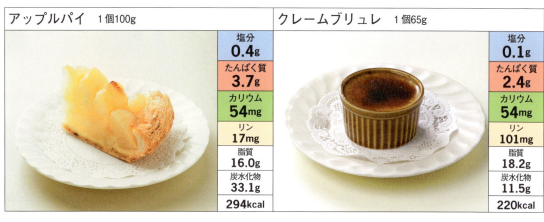

アップルパイ 1個100g
- 塩分 0.4g
- たんぱく質 3.7g
- カリウム 54mg
- リン 17mg
- 脂質 16.0g
- 炭水化物 33.1g
- 294kcal

クレームブリュレ 1個65g
- 塩分 0.1g
- たんぱく質 2.4g
- カリウム 54mg
- リン 101mg
- 脂質 18.2g
- 炭水化物 11.5g
- 220kcal

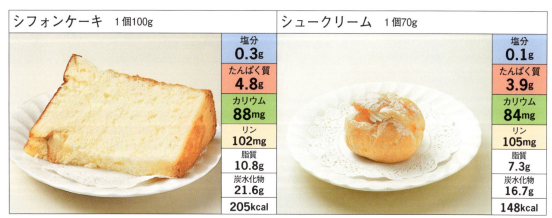

シフォンケーキ 1個100g
- 塩分 0.3g
- たんぱく質 4.8g
- カリウム 88mg
- リン 102mg
- 脂質 10.8g
- 炭水化物 21.6g
- 205kcal

シュークリーム 1個70g
- 塩分 0.1g
- たんぱく質 3.9g
- カリウム 84mg
- リン 105mg
- 脂質 7.3g
- 炭水化物 16.7g
- 148kcal

おやつから摂取するたんぱく質は1g前後におさめたい。食べるなら少量を、ときどきのお楽しみとして。

菓子・飲料◎洋菓子

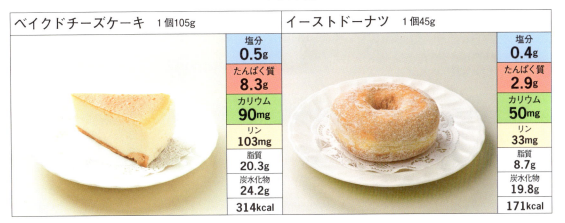

ベイクドチーズケーキ 1個105g	イーストドーナツ 1個45g
塩分 0.5g	塩分 0.4g
たんぱく質 8.3g	たんぱく質 2.9g
カリウム 90mg	カリウム 50mg
リン 103mg	リン 33mg
脂質 20.3g	脂質 8.7g
炭水化物 24.2g	炭水化物 19.8g
314kcal	171kcal

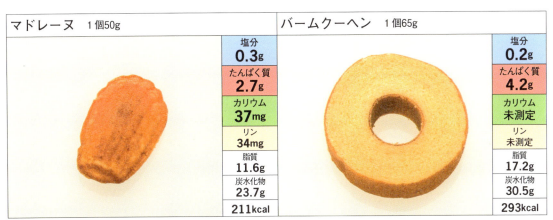

マドレーヌ 1個50g	バームクーヘン 1個65g
塩分 0.3g	塩分 0.2g
たんぱく質 2.7g	たんぱく質 4.2g
カリウム 37mg	カリウム 未測定
リン 34mg	リン 未測定
脂質 11.6g	脂質 17.2g
炭水化物 23.7g	炭水化物 30.5g
211kcal	293kcal

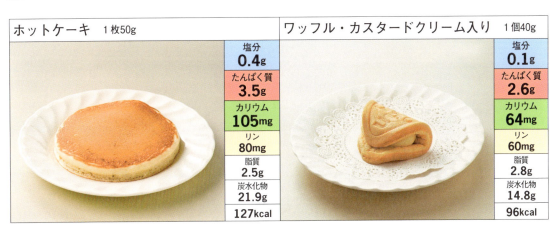

ホットケーキ 1枚50g	ワッフル・カスタードクリーム入り 1個40g
塩分 0.4g	塩分 0.1g
たんぱく質 3.5g	たんぱく質 2.6g
カリウム 105mg	カリウム 64mg
リン 80mg	リン 60mg
脂質 2.5g	脂質 2.8g
炭水化物 21.9g	炭水化物 14.8g
127kcal	96kcal

和菓子①

皮や生地の材料によって洋菓子同様に高たんぱく質

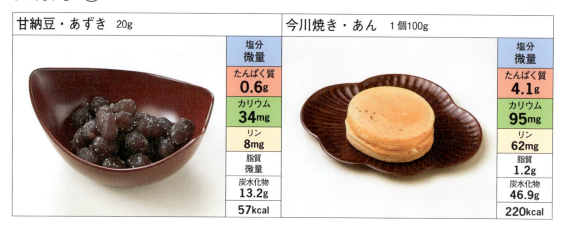

甘納豆・あずき 20g	今川焼き・あん 1個100g
塩分 微量	塩分 微量
たんぱく質 0.6g	たんぱく質 4.1g
カリウム 34mg	カリウム 95mg
リン 8mg	リン 62mg
脂質 微量	脂質 1.2g
炭水化物 13.2g	炭水化物 46.9g
57kcal	220kcal

柏もち 1個65g	カステラ 1切れ50g
塩分 0.1g	塩分 0.1g
たんぱく質 2.3g	たんぱく質 3.3g
カリウム 26mg	カリウム 43mg
リン 31mg	リン 43mg
脂質 0.2g	脂質 2.2g
炭水化物 29.4g	炭水化物 30.9g
132kcal	157kcal

串団子・あん 1本60g	串団子・みたらし 1本55g
塩分 0.1g	塩分 0.3g
たんぱく質 2.0g	たんぱく質 1.5g
カリウム 26mg	カリウム 32mg
リン 30mg	リン 29mg
脂質 0.2g	脂質 0.2g
炭水化物 26.3g	炭水化物 23.9g
119kcal	107kcal

一般的に、あずき主体の和菓子は炭水化物が多く、たんぱく質は少ない傾向です。

菓子・飲料　和菓子①

桜もち・関東風 1個45g	大福もち 1個95g
塩分 微量	塩分 0.1g
たんぱく質 1.8g	たんぱく質 3.9g
カリウム 17mg	カリウム 31mg
リン 17mg	リン 30mg
脂質 0.1g	脂質 0.3g
炭水化物 23.7g	炭水化物 46.8g
106kcal	212kcal

どら焼き 1個90g	練りようかん 1切れ60g
塩分 0.4g	塩分 0g
たんぱく質 5.4g	たんぱく質 1.9g
カリウム 108mg	カリウム 14mg
リン 70mg	リン 19mg
脂質 2.5g	脂質 0.1g
炭水化物 53.9g	炭水化物 40.8g
263kcal	173kcal

水ようかん 1切れ65g	蒸しまんじゅう 1個35g
塩分 微量	塩分 0.1g
たんぱく質 1.5g	たんぱく質 1.4g
カリウム 11mg	カリウム 17mg
リン 15mg	リン 16mg
脂質 0.1g	脂質 0.1g
炭水化物 25.2g	炭水化物 20.1g
109kcal	89kcal

和菓子②

くず粉が主材料の和菓子は低たんぱく質

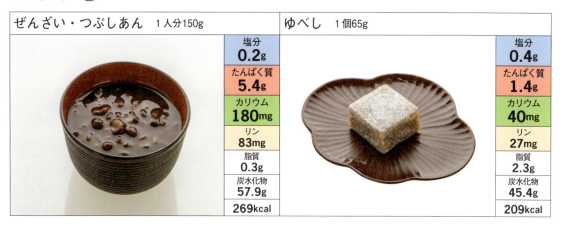

ぜんざい・つぶしあん 1人分150g		ゆべし 1個65g	
塩分	0.2g	塩分	0.4g
たんぱく質	5.4g	たんぱく質	1.4g
カリウム	180mg	カリウム	40mg
リン	83mg	リン	27mg
脂質	0.3g	脂質	2.3g
炭水化物	57.9g	炭水化物	45.4g
	269kcal		209kcal

ちゃつう 1個55g		もなか 1個60g	
塩分	0g	塩分	0g
たんぱく質	3.0g	たんぱく質	2.6g
カリウム	35mg	カリウム	19mg
リン	43mg	リン	25mg
脂質	2.3g	脂質	0.1g
炭水化物	35.0g	炭水化物	37.9g
	176kcal		166kcal

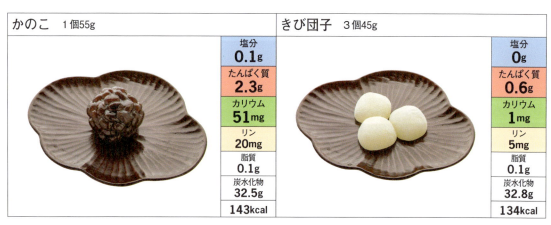

かのこ 1個55g		きび団子 3個45g	
塩分	0.1g	塩分	0g
たんぱく質	2.3g	たんぱく質	0.6g
カリウム	51mg	カリウム	1mg
リン	20mg	リン	5mg
脂質	0.1g	脂質	0.1g
炭水化物	32.5g	炭水化物	32.8g
	143kcal		134kcal

まんじゅうや団子は小麦粉や米製品の割合が高くなるとたんぱく質量が上がります。

菓子・飲料　和菓子②

くずまんじゅう 1個60g	生八つ橋・あん入り 1個25g
塩分 0.1g	塩分 0g
たんぱく質 1.6g	たんぱく質 0.7g
カリウム 13mg	カリウム 18mg
リン 18mg	リン 13mg
脂質 0.1g	脂質 0.1g
炭水化物 30.2g	炭水化物 16.0g
130kcal	69kcal

くずもち 100g	ういろう 1切れ50g
塩分 0g	塩分 0g
たんぱく質 0.1g	たんぱく質 0.5g
カリウム 1mg	カリウム 9mg
リン 3mg	リン 9mg
脂質 0.1g	脂質 0.1g
炭水化物 22.5g	炭水化物 21.9g
93kcal	91kcal

かるかん 1個50g	ぎゅうひ 3個30g
塩分 0g	塩分 0g
たんぱく質 0.9g	たんぱく質 0.4g
カリウム 60mg	カリウム 微量
リン 16mg	リン 3mg
脂質 0.1g	脂質 0.1g
炭水化物 27.1g	炭水化物 18.5g
113kcal	76kcal

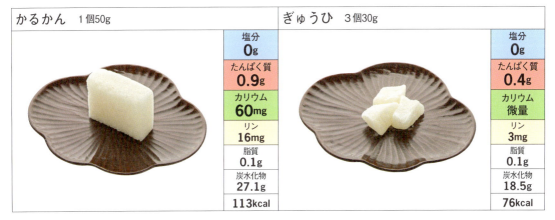

アイスクリーム・デザート菓子

材料の配合を考えるとシャーベットが安心

アイスクリーム・高脂肪 75mL（40g）
- 塩分 0.1g
- たんぱく質 1.2g
- カリウム 64mg
- リン 44mg
- 脂質 4.3g
- 炭水化物 9.4g
- 82kcal

アイスクリーム・普通脂肪 75mL（40g）
- 塩分 0.1g
- たんぱく質 1.4g
- カリウム 76mg
- リン 48mg
- 脂質 3.1g
- 炭水化物 9.4g
- 71kcal

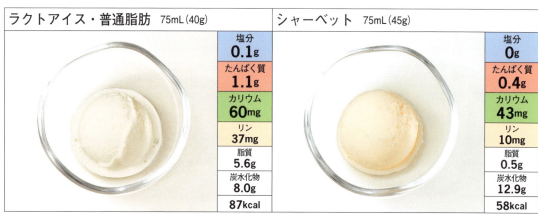

ラクトアイス・普通脂肪 75mL（40g）
- 塩分 0.1g
- たんぱく質 1.1g
- カリウム 60mg
- リン 37mg
- 脂質 5.6g
- 炭水化物 8.0g
- 87kcal

シャーベット 75mL（45g）
- 塩分 0g
- たんぱく質 0.4g
- カリウム 43mg
- リン 10mg
- 脂質 0.5g
- 炭水化物 12.9g
- 58kcal

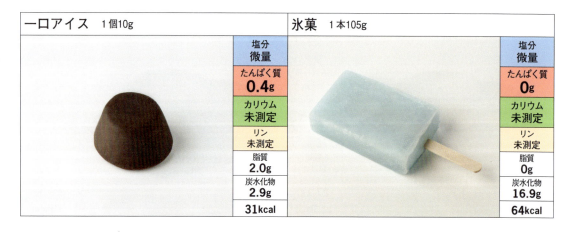

一口アイス 1個10g
- 塩分 微量
- たんぱく質 0.4g
- カリウム 未測定
- リン 未測定
- 脂質 2.0g
- 炭水化物 2.9g
- 31kcal

氷菓 1本105g
- 塩分 微量
- たんぱく質 0g
- カリウム 未測定
- リン 未測定
- 脂質 0g
- 炭水化物 16.9g
- 64kcal

ゼリーはゼラチンがたんぱく質そのものなので高たんぱく質。卵や牛乳で作るプリン、アイスクリームも高たんぱく質です。

菓子・飲料 アイスクリーム・デザート菓子

カスタードプリン 1個100g	牛乳寒天 1個110g
塩分 0.2g / たんぱく質 5.3g / カリウム 130mg / リン 110mg / 脂質 4.5g / 炭水化物 13.8g / 116kcal	塩分 0g / たんぱく質 1.1g / カリウム 56mg / リン 35mg / 脂質 1.3g / 炭水化物 12.8g / 67kcal

コーヒーゼリー 1個100g	オレンジゼリー 1個95g
塩分 0g / たんぱく質 1.4g / カリウム 47mg / リン 5mg / 脂質 0g / 炭水化物 9.6g / 43kcal	塩分 0g / たんぱく質 1.8g / カリウム 171mg / リン 16mg / 脂質 0.1g / 炭水化物 16.9g / 76kcal

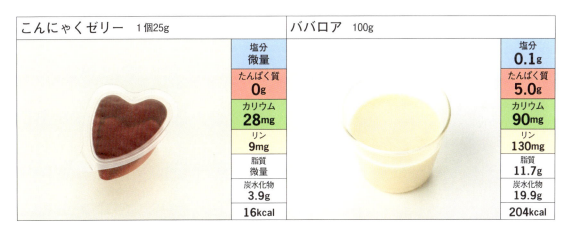

こんにゃくゼリー 1個25g	ババロア 100g
塩分 微量 / たんぱく質 0g / カリウム 28mg / リン 9mg / 脂質 微量 / 炭水化物 3.9g / 16kcal	塩分 0.1g / たんぱく質 5.0g / カリウム 90mg / リン 130mg / 脂質 11.7g / 炭水化物 19.9g / 204kcal

クッキー・チョコ・あめ類

エネルギー補給に少量を

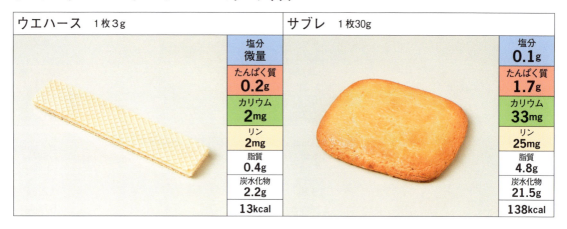

ウエハース 1枚3g	サブレ 1枚30g
塩分 微量	塩分 0.1g
たんぱく質 0.2g	たんぱく質 1.7g
カリウム 2mg	カリウム 33mg
リン 2mg	リン 25mg
脂質 0.4g	脂質 4.8g
炭水化物 2.2g	炭水化物 21.5g
13kcal	138kcal

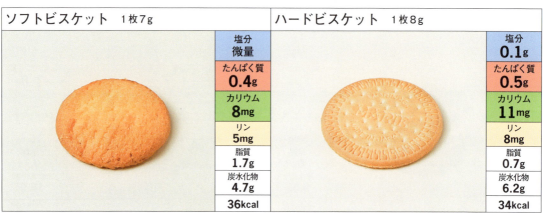

ソフトビスケット 1枚7g	ハードビスケット 1枚8g
塩分 微量	塩分 0.1g
たんぱく質 0.4g	たんぱく質 0.5g
カリウム 8mg	カリウム 11mg
リン 5mg	リン 8mg
脂質 1.7g	脂質 0.7g
炭水化物 4.7g	炭水化物 6.2g
36kcal	34kcal

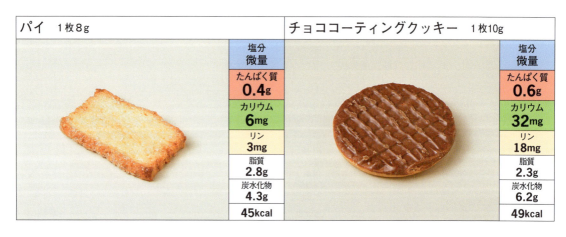

パイ 1枚8g	チョココーティングクッキー 1枚10g
塩分 微量	塩分 微量
たんぱく質 0.4g	たんぱく質 0.6g
カリウム 6mg	カリウム 32mg
リン 3mg	リン 18mg
脂質 2.8g	脂質 2.3g
炭水化物 4.3g	炭水化物 6.2g
45kcal	49kcal

意外に塩分やたんぱく質を含むものもあるので、1枚、1かけらの食べきりサイズで楽しんで。

菓子・飲料 ◯ クッキー・チョコ・あめ類

アーモンドチョコレート　1個4g
- 塩分 微量
- たんぱく質 0.4g
- カリウム 22mg
- リン 13mg
- 脂質 1.6g
- 炭水化物 1.5g
- 22kcal

ミルクチョコレート　1枚50g
- 塩分 0.1g
- たんぱく質 2.9g
- カリウム 220mg
- リン 120mg
- 脂質 16.4g
- 炭水化物 28.3g
- 275kcal

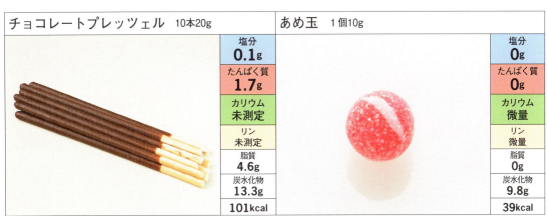

チョコレートプレッツェル　10本20g
- 塩分 0.1g
- たんぱく質 1.7g
- カリウム 未測定
- リン 未測定
- 脂質 4.6g
- 炭水化物 13.3g
- 101kcal

あめ玉　1個10g
- 塩分 0g
- たんぱく質 0g
- カリウム 微量
- リン 微量
- 脂質 0g
- 炭水化物 9.8g
- 39kcal

キャラメル　1個5g
- 塩分 微量
- たんぱく質 0.2g
- カリウム 9mg
- リン 5mg
- 脂質 0.5g
- 炭水化物 4.0g
- 21kcal

グミ　5個12g
- 塩分 0g
- たんぱく質 0.2g
- カリウム 未測定
- リン 未測定
- 脂質 0.0g
- 炭水化物 8.1g
- 32kcal

スナック菓子・クラッカー

塩分が多いので食べるなら少量に

ポテトチップス・塩味 ⅓袋20g	ポテトチップス・成型 10枚17g
塩分 0.2g / たんぱく質 0.9g / カリウム 240mg / リン 20mg / 脂質 6.8g / 炭水化物 10.4g / 108kcal	塩分 0.2g / たんぱく質 1.1g / カリウム 153mg / リン 24mg / 脂質 4.9g / 炭水化物 9.4g / 88kcal

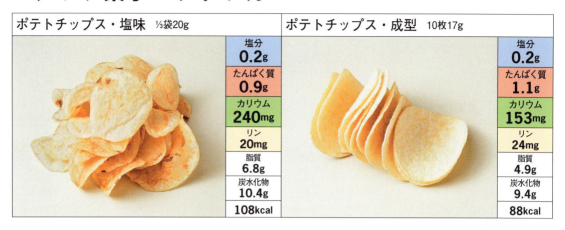

クラッカー・オイルスプレー 6枚20g	クラッカー・ソーダ 6枚20g
塩分 0.3g / たんぱく質 1.5g / カリウム 22mg / リン 38mg / 脂質 4.2g / 炭水化物 12.8g / 96kcal	塩分 0.4g / たんぱく質 1.9g / カリウム 28mg / リン 17mg / 脂質 1.9g / 炭水化物 14.7g / 84kcal

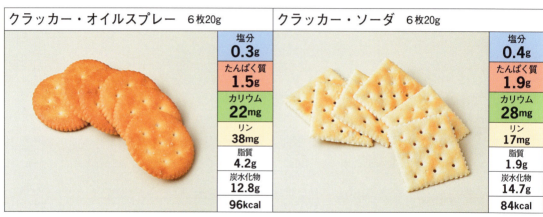

コーンスナック ⅓袋20g	コーンスナック・ポップコーン ⅓袋17g
塩分 0.2g / たんぱく質 0.9g / カリウム 18mg / リン 14mg / 脂質 5.1g / 炭水化物 13.3g / 103kcal	塩分 0.2g / たんぱく質 1.5g / カリウム 51mg / リン 49mg / 脂質 3.7g / 炭水化物 9.2g / 80kcal

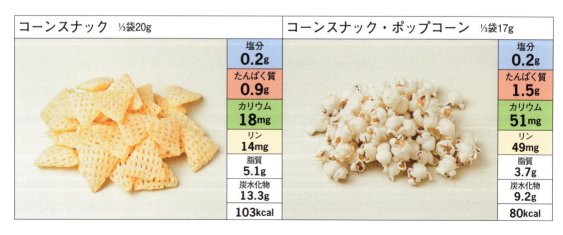

塩分を考えると写真の⅓〜½量におさえたい。たんぱく質が多いものもあるので栄養表示の確認を。

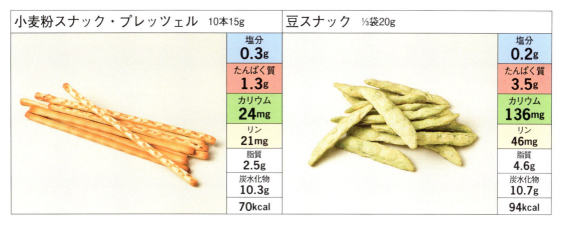

小麦粉スナック・プレッツェル 10本15g
- 塩分 0.3g
- たんぱく質 1.3g
- カリウム 24mg
- リン 21mg
- 脂質 2.5g
- 炭水化物 10.3g
- 70kcal

豆スナック ⅓袋20g
- 塩分 0.2g
- たんぱく質 3.5g
- カリウム 136mg
- リン 46mg
- 脂質 4.6g
- 炭水化物 10.7g
- 94kcal

小麦粉あられ 20g
- 塩分 0.4g
- たんぱく質 1.4g
- カリウム 20mg
- リン 11mg
- 脂質 3.7g
- 炭水化物 13.3g
- 94kcal

ポテトスティック ½パック30g
- 塩分 0.4g
- たんぱく質 2.2g
- カリウム 357mg
- リン 48mg
- 脂質 7.2g
- 炭水化物 19.1g
- 150kcal

菓子に含まれるたんぱく質にも注目しましょう

　小麦粉、米などの穀類や牛乳・乳製品、卵、ゼラチンを使っているものは、自然とたんぱく質量が多くなります。また、だいたいは味が濃いので塩分も多く、リンも含まれます。

　たんぱく質は、主食やおかずの選び方や量でおさえているので、嗜好品からのたんぱく質もなるべく控えたいもの。たんぱく質が0.5g以下のお菓子がおすすめです。たんぱく質やリン、塩分などをおさえた栄養成分調整食品を利用するのもよいでしょう。まんじゅうやクッキーなどさまざまあるので、かかりつけの医師や管理栄養士に相談してください。

たんぱく質源となる材料	菓子
穀類（小麦粉、米）	洋菓子（ケーキ全般）、和菓子（大福もち、柏もち、カステラ、どら焼き、今川焼きなど）、ドーナツ、スナック菓子、せんべい、かりんとう、クッキーなど
牛乳・乳製品	アイスクリーム、生クリームを使うケーキ、チーズケーキ、プリン、ヨーグルト、ミルクゼリーなど
卵	プリン、洋菓子（ケーキ全般）、カステラ、どら焼き、ドーナツ、クッキーなど
ゼラチン	ゼリー、ムース、グミなど

菓子・飲料 ○ せんべい・かりんとう

せんべい・かりんとう

揚げてあるものはエネルギーが高い

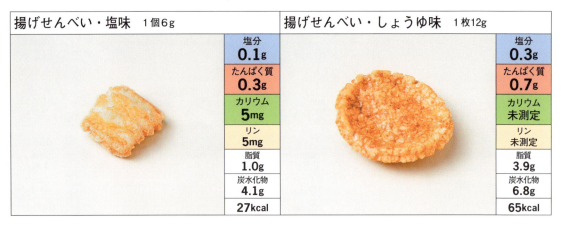

揚げせんべい・塩味　1個6g	揚げせんべい・しょうゆ味　1枚12g
塩分 0.1g / たんぱく質 0.3g / カリウム 5mg / リン 5mg / 脂質 1.0g / 炭水化物 4.1g / 27kcal	塩分 0.3g / たんぱく質 0.7g / カリウム 未測定 / リン 未測定 / 脂質 3.9g / 炭水化物 6.8g / 65kcal

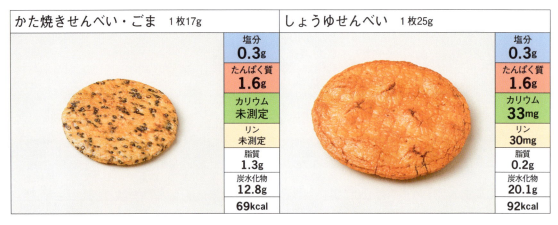

かた焼きせんべい・ごま　1枚17g	しょうゆせんべい　1枚25g
塩分 0.3g / たんぱく質 1.6g / カリウム 未測定 / リン 未測定 / 脂質 1.3g / 炭水化物 12.8g / 69kcal	塩分 0.3g / たんぱく質 1.6g / カリウム 33mg / リン 30mg / 脂質 0.2g / 炭水化物 20.1g / 92kcal

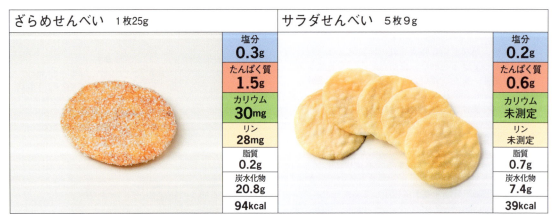

ざらめせんべい　1枚25g	サラダせんべい　5枚9g
塩分 0.3g / たんぱく質 1.5g / カリウム 30mg / リン 28mg / 脂質 0.2g / 炭水化物 20.8g / 94kcal	塩分 0.2g / たんぱく質 0.6g / カリウム 未測定 / リン 未測定 / 脂質 0.7g / 炭水化物 7.4g / 39kcal

米や小麦粉が主材料のものはたんぱく質も多く含みます。たんぱく質をおさえてエネルギーを補うなら、揚げてあるタイプを。

菓子・飲料 ● せんべい・かりんとう

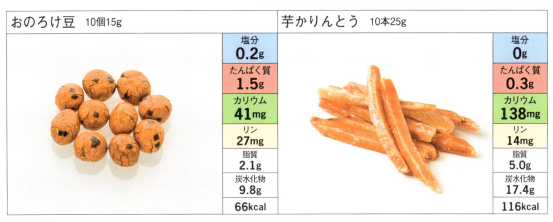

おのろけ豆 10個15g	芋かりんとう 10本25g
塩分 0.2g	塩分 0g
たんぱく質 1.5g	たんぱく質 0.3g
カリウム 41mg	カリウム 138mg
リン 27mg	リン 14mg
脂質 2.1g	脂質 5.0g
炭水化物 9.8g	炭水化物 17.4g
66kcal	116kcal

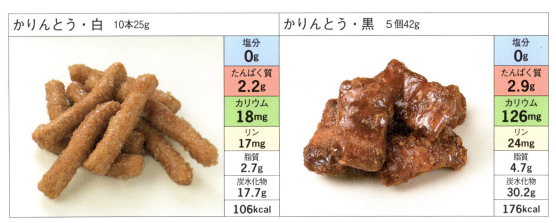

かりんとう・白 10本25g	かりんとう・黒 5個42g
塩分 0g	塩分 0g
たんぱく質 2.2g	たんぱく質 2.9g
カリウム 18mg	カリウム 126mg
リン 17mg	リン 24mg
脂質 2.7g	脂質 4.7g
炭水化物 17.7g	炭水化物 30.2g
106kcal	176kcal

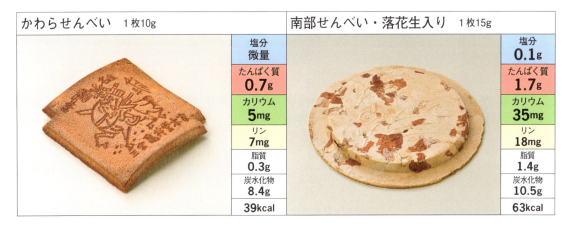

かわらせんべい 1枚10g	南部せんべい・落花生入り 1枚15g
塩分 微量	塩分 0.1g
たんぱく質 0.7g	たんぱく質 1.7g
カリウム 5mg	カリウム 35mg
リン 7mg	リン 18mg
脂質 0.3g	脂質 1.4g
炭水化物 8.4g	炭水化物 10.5g
39kcal	63kcal

乾き物・珍味

高塩分、高たんぱく質なのでできるだけ控えたい

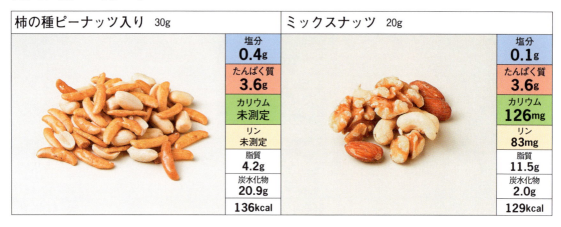

柿の種ピーナッツ入り 30g	ミックスナッツ 20g
塩分 0.4g	塩分 0.1g
たんぱく質 3.6g	たんぱく質 3.6g
カリウム 未測定	カリウム 126mg
リン 未測定	リン 83mg
脂質 4.2g	脂質 11.5g
炭水化物 20.9g	炭水化物 2.0g
136kcal	129kcal

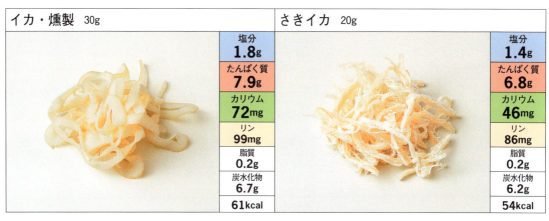

イカ・燻製 30g	さきイカ 20g
塩分 1.8g	塩分 1.4g
たんぱく質 7.9g	たんぱく質 6.8g
カリウム 72mg	カリウム 46mg
リン 99mg	リン 86mg
脂質 0.2g	脂質 0.2g
炭水化物 6.7g	炭水化物 6.2g
61kcal	54kcal

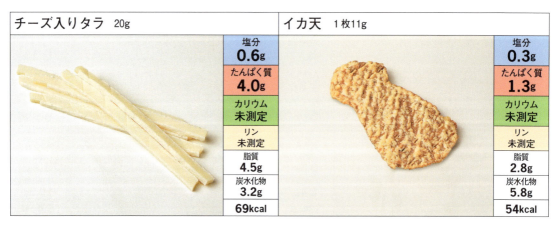

チーズ入りタラ 20g	イカ天 1枚11g
塩分 0.6g	塩分 0.3g
たんぱく質 4.0g	たんぱく質 1.3g
カリウム 未測定	カリウム 未測定
リン 未測定	リン 未測定
脂質 4.5g	脂質 2.8g
炭水化物 3.2g	炭水化物 5.8g
69kcal	54kcal

濃い味つけや心地よい食感でつい食べすぎになる珍味やナッツですが、少量でも塩分、たんぱく質ともに多くなります。

菓子・飲料・乾き物・珍味

ビーフジャーキー 20g	サラミ 1個4g
塩分 1.0g	塩分 0.2g
たんぱく質 9.5g	たんぱく質 0.9g
カリウム 152mg	カリウム 17mg
リン 84mg	リン 10mg
脂質 1.2g	脂質 1.6g
炭水化物 2.8g	炭水化物 0.1g
61kcal	19kcal

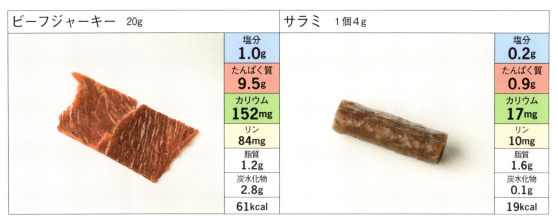

ホタテ貝柱・味つき 1個20g	マグロ・味つき 10個20g
塩分 1.3g	塩分 0.9g
たんぱく質 10.0g	たんぱく質 6.3g
カリウム 162mg	カリウム 未測定
リン 122mg	リン 未測定
脂質 0.1g	脂質 0.5g
炭水化物 4.9g	炭水化物 8.6g
60kcal	64kcal

こんぶ・味つき 2g	小魚・アーモンド入り 10g
塩分 0.3g	塩分 0.2g
たんぱく質 0.4g	たんぱく質 2.9g
カリウム 未測定	カリウム 未測定
リン 未測定	リン 未測定
脂質 微量	脂質 3.3g
炭水化物 0.9g	炭水化物 2.7g
4kcal	49kcal

アルコール飲料

飲みすぎは腎機能を悪化させます

ビール・黒・グラス　200mL（202g）

塩分	0g
たんぱく質	0.6g
カリウム	111mg
リン	67mg
脂質	0g
炭水化物	7.1g
	91kcal

ビール・淡色・グラス　200mL（202g）

塩分	0g
たんぱく質	0.4g
カリウム	69mg
リン	30mg
脂質	0g
炭水化物	6.3g
	79kcal

ビール・スタウト・グラス　200mL（204g）

塩分	0g
たんぱく質	0.6g
カリウム	133mg
リン	88mg
脂質	0g
炭水化物	9.8g
	126kcal

発泡酒・グラス　200mL（202g）

塩分	0g
たんぱく質	0.2g
カリウム	26mg
リン	16mg
脂質	0g
炭水化物	7.3g
	89kcal

赤ワイン・グラス　100mL（100g）

塩分	0g
たんぱく質	0.2g
カリウム	110mg
リン	13mg
脂質	微量
炭水化物	0.2g
	68kcal

白ワイン・グラス　100mL（100g）

塩分	0g
たんぱく質	0.1g
カリウム	60mg
リン	12mg
脂質	微量
炭水化物	2.2g
	75kcal

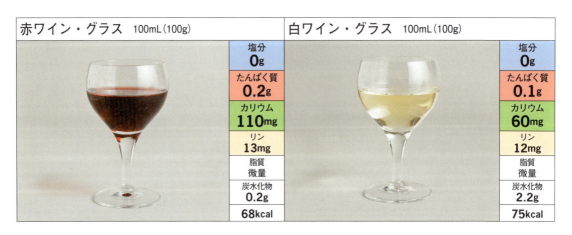

たんぱく質はビール、日本酒、ワインに多く、ジンや焼酎などの蒸留酒は0g。カリウムはビールとワインが多めです。

菓子・飲料 ○ アルコール飲料

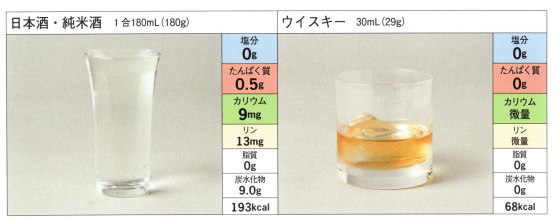

日本酒・純米酒 1合180mL（180g）	ウイスキー 30mL（29g）
塩分 0g	塩分 0g
たんぱく質 0.5g	たんぱく質 0g
カリウム 9mg	カリウム 微量
リン 13mg	リン 微量
脂質 0g	脂質 0g
炭水化物 9.0g	炭水化物 0g
193kcal	68kcal

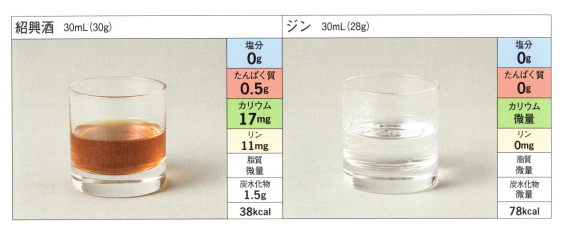

紹興酒 30mL（30g）	ジン 30mL（28g）
塩分 0g	塩分 0g
たんぱく質 0.5g	たんぱく質 0g
カリウム 17mg	カリウム 微量
リン 11mg	リン 0mg
脂質 微量	脂質 微量
炭水化物 1.5g	炭水化物 微量
38kcal	78kcal

ブランデー 30mL（29g）

塩分 0g
たんぱく質 0g
カリウム 微量
リン 微量
脂質 0g
炭水化物 0g
68kcal

腎臓病の人のアルコール飲料の適量は

　お酒の飲みすぎは腎機能を悪化させるだけでなく、健康にもよくありません。適量は個人差もありますが、日本酒なら1合、ビールなら中びん1本、ワインならグラス2杯くらいが目安です。お酒を飲む機会が多い人は、たんぱく質を含むビールより、ウイスキーや焼酎を適量選んだほうが安全です。
　また、つまみは珍味のような乾き物やナッツ、チーズなど高たんぱく質、高塩分のものが多いので控えめに。つまみを食べるなら食事と別に用意するのではなく、食事の一部と考えてたんぱく質食品が増えないよう調整し、野菜料理を中心にしましょう。

嗜好飲料①

果汁の割合が多いものは避けましょう

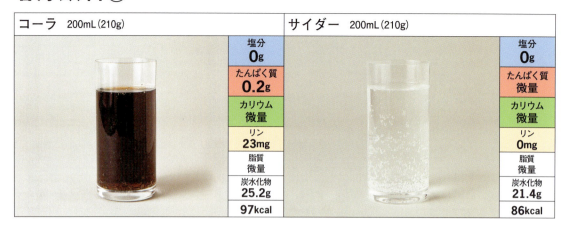

コーラ 200mL（210g）
- 塩分 0g
- たんぱく質 0.2g
- カリウム 微量
- リン 23mg
- 脂質 微量
- 炭水化物 25.2g
- 97kcal

サイダー 200mL（210g）
- 塩分 0g
- たんぱく質 微量
- カリウム 微量
- リン 0mg
- 脂質 微量
- 炭水化物 21.4g
- 86kcal

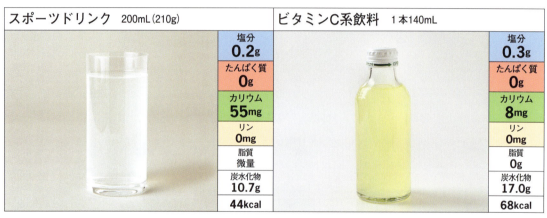

スポーツドリンク 200mL（210g）
- 塩分 0.2g
- たんぱく質 0g
- カリウム 55mg
- リン 0mg
- 脂質 微量
- 炭水化物 10.7g
- 44kcal

ビタミンC系飲料 1本140mL
- 塩分 0.3g
- たんぱく質 0g
- カリウム 8mg
- リン 0mg
- 脂質 0g
- 炭水化物 17.0g
- 68kcal

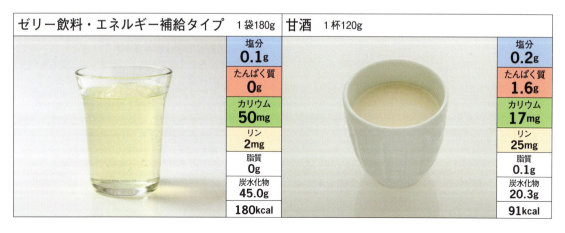

ゼリー飲料・エネルギー補給タイプ 1袋180g
- 塩分 0.1g
- たんぱく質 0g
- カリウム 50mg
- リン 2mg
- 脂質 0g
- 炭水化物 45.0g
- 180kcal

甘酒 1杯120g
- 塩分 0.2g
- たんぱく質 1.6g
- カリウム 17mg
- リン 25mg
- 脂質 0.1g
- 炭水化物 20.3g
- 91kcal

炭酸飲料はダイエットタイプでなければエネルギー補給に。果汁の割合が少ないものはたんぱく質もカリウムも少なめです。

菓子・飲料・嗜好飲料①

バレンシアオレンジ濃縮還元ジュース 200mL(210g)
- 塩分 0g
- たんぱく質 0.6g
- カリウム 399mg
- リン 38mg
- 脂質 0.2g
- 炭水化物 23.1g
- 97kcal

ぶどう濃縮還元ジュース 200mL(210g)
- 塩分 0g
- たんぱく質 0.6g
- カリウム 50mg
- リン 15mg
- 脂質 0.2g
- 炭水化物 24.6g
- 97kcal

りんご濃縮還元ジュース 200mL(210g)
- 塩分 0g
- たんぱく質 0.2g
- カリウム 231mg
- リン 19mg
- 脂質 0.2g
- 炭水化物 24.2g
- 99kcal

桃30%果汁入り飲料(ネクター) 200mL(210g)
- 塩分 0g
- たんぱく質 0.4g
- カリウム 74mg
- リン 8mg
- 脂質 0g
- 炭水化物 24.6g
- 97kcal

にんじんジュース 200mL(210g)
- 塩分 0g
- たんぱく質 0.8g
- カリウム 588mg
- リン 42mg
- 脂質 微量
- 炭水化物 14.1g
- 61kcal

トマトジュース・食塩無添加 200mL(210g)
- 塩分 0g
- たんぱく質 1.5g
- カリウム 546mg
- リン 38mg
- 脂質 0.2g
- 炭水化物 6.9g
- 38kcal

嗜好飲料②

たんぱく質とカリウム量に注目して

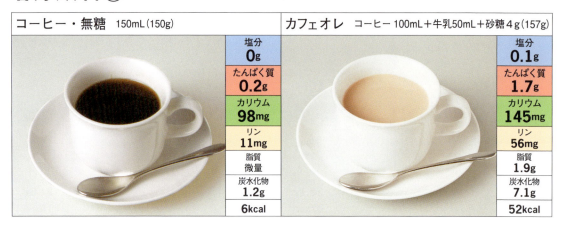

コーヒー・無糖 150mL（150g）	カフェオレ コーヒー100mL＋牛乳50mL＋砂糖4g（157g）
塩分 0g	塩分 0.1g
たんぱく質 0.2g	たんぱく質 1.7g
カリウム 98mg	カリウム 145mg
リン 11mg	リン 56mg
脂質 微量	脂質 1.9g
炭水化物 1.2g	炭水化物 7.1g
6kcal	52kcal

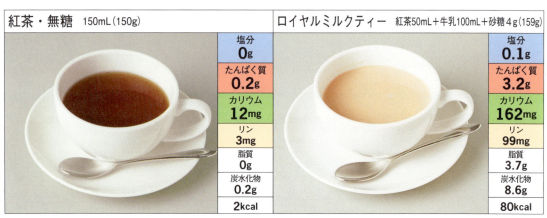

紅茶・無糖 150mL（150g）	ロイヤルミルクティー 紅茶50mL＋牛乳100mL＋砂糖4g（159g）
塩分 0g	塩分 0.1g
たんぱく質 0.2g	たんぱく質 3.2g
カリウム 12mg	カリウム 162mg
リン 3mg	リン 99mg
脂質 0g	脂質 3.7g
炭水化物 0.2g	炭水化物 8.6g
2kcal	80kcal

ココア ピュアココア4g＋牛乳150mL＋砂糖4g（166g）	抹茶ラテ 抹茶2g＋牛乳150mL＋砂糖18g（178g）
塩分 0.2g	塩分 0.2g
たんぱく質 5.3g	たんぱく質 5.2g
カリウム 349mg	カリウム 291mg
リン 173mg	リン 154mg
脂質 6.4g	脂質 5.6g
炭水化物 11.9g	炭水化物 25.0g
127kcal	172kcal

> 外食アドバイス

外食選び早わかり

> 外食カタログ

塩分やたんぱく質、カリウムの制限があるとき、
外食でなにをどれだけ食べられるか、
メニューごとに詳細なデータを紹介しながらアドバイスします。
お店によってメニューの内容は違いますが、参考までに。

めん

ビーフンやそばを除き、めん料理にはめん自体にも、つゆやスープにも塩分が多く含まれています。

かけそば　291 kcal

塩分	たんぱく質	カリウム
4.0 g	9.5 g	203 mg
リン	脂質	炭水化物
204 mg	1.6 g	55.5 g

塩分はすべてつゆに含まれます（そば自体は塩分なし）。つゆにはしょうゆ由来のたんぱく質が含まれるので、つゆは極力飲まないようにします。かけそば1杯ではエネルギー不足になるので、天ぷらを1つ加えるとよいでしょう。

No.	材料名・重量（概量）	塩分	たんぱく質	カリウム	リン	エネルギー
1	そば・ゆで　180g	0g	7.0g	61mg	144mg	234kcal
2	つゆ（めんつゆストレート120mL＋水240mL）	4.0g	2.4g	120mg	58mg	53kcal
3	ねぎ　10g	0g	0.1g	20mg	3mg	4kcal
4	一味とうがらし　少量	0g	0g	1mg	微量	微量

塩分を控えるには 何を減らす？何を食べる？

塩分はつゆに含まれるので、つゆを半分残すと2.6g、ほとんど飲まなければ0.8～1.2gくらいに減ります。もりそばにしてつゆを半分に減らし、そばの先端だけつけるようにすると塩分量をさらにおさえることができます。

たんぱく質を控えるには 何を減らす？何を食べる？

つゆの材料にしょうゆが使われているので、つゆもたんぱく質を含みます。そばはなるべく食べたいので、つゆをほとんど飲まなければ1.8gほどたんぱく質を減らすことができます。

カリウムを控えるには 何を減らす？何を食べる？

つゆをほとんど飲まないことで、約90mgのカリウムを減らすことができます。そばにもカリウムは含まれますが、食べる量を減らすとエネルギーが確保できないので、そばは残さずに食べるようにしましょう。

リンを控えるには 何を減らす？何を食べる？

そばはリンを多く含みます。選べるなら、やぶそば（そばの実の甘皮を一緒にひいたもの）よりも、更科そばのほうがリンの量を1/3に控えることができます。ちなみに、そばよりもうどんのほうがリンは少なくなります。

しょうゆラーメン

437 kcal

塩分	たんぱく質	カリウム
7.2 g	18.0 g	617 mg
リン	脂質	炭水化物
292 mg	6.2 g	73.7 g

めんとつゆ、ねぎ以外の具（焼き豚、鳴門巻き、しなちく）すべてに塩分が含まれます。写真の量を食べきると、男性の1日の食塩摂取目標量7.5g未満と同じくらいの塩分量なので、できれば避けたい。どうしても食べたいときはスープを残し、トッピングは控えて。ほかの味のラーメンも同様です。

No.	材料名・重量（概量）	塩分	たんぱく質	カリウム	リン	エネルギー
1	ゆで中華めん　220g（1玉）	0.4g	10.6g	132mg	64mg	293kcal
2	スープ（しょうゆ味）約380mL	6.1g	4.3g	417mg	178mg	109kcal
3	焼き豚　15g（2枚）	0.4g	2.4g	44mg	39mg	25kcal
4	鳴門巻き　5g	0.1g	0.4g	8mg	6mg	4kcal
5	しなちく　30g	0.3g	0.2g	2mg	3mg	5kcal
6	のり　0.2g（1枚）	0g	0.1g	5mg	1mg	1kcal
7	ねぎ　5g	0g	0.1g	10mg	1mg	2kcal

塩分を控えるには
何を減らす？何を食べる？

スープをほとんど飲まなければ4gくらい塩分を減らすことができます。焼き豚2枚を1枚に減らすと塩分は0.2g減、しなちくをすべて残すと0.3g減。これでやっと塩分約2.7gになります。

たんぱく質を控えるには
何を減らす？何を食べる？

しょうゆベースのスープなので、たんぱく質も含まれます。スープをほとんど飲まなければ3gほどたんぱく質を減らすことができます。塩分調整も兼ねて焼き豚を1枚減らすと、たんぱく質も1.2g減らせます。

カリウムを控えるには
何を減らす？何を食べる？

スープにカリウムが多く含まれます。なるべくスープを飲まないようにすれば、300mgくらいカリウムを減らすことができます。塩分とたんぱく質の調整のためにも、スープは残すことがポイントです。

リンを控えるには
何を減らす？何を食べる？

具の焼き豚や鳴門巻きなどの加工食品は防腐剤にリン酸が使われているため、リンが多く含まれます。お店で手作りしている焼き豚なら安心です。また、スープをほとんど飲まなければリンが大幅に減らせます。

外食アドバイス ● めん

定食

焼き魚定食 552 kcal

塩分	たんぱく質	カリウム
4.6g	34.9g	1113mg
リン	脂質	炭水化物
570mg	8.2g	79.1g

主食、主菜の量が多いのでたんぱく質が多くなります。味つけも濃いため、主菜や汁物を残してコントロールする必要があります。

魚料理は魚自体にも塩分があります。酢の物はシラス干しが入っているので塩分が高くなっていますが、野菜のみの酢の物なら煮浸しやお浸し、煮物より塩分が低くなります。みそ汁は家庭の手作りのものより味が濃いことが多いです。

No.	材料名・重量（概量）	塩分	たんぱく質	カリウム	リン	エネルギー
1	アジの塩焼き　180g（正味117g）	2.2g	25.7g	550mg	374mg	184kcal
2	おろし大根　20g	0g	0.1g	46mg	3mg	3kcal
3	酢の物・きゅうり　80g	0g	0.6g	160mg	29mg	10kcal
4	酢の物・わかめ　20g	0.3g	0.3g	2mg	6mg	3kcal
5	酢の物・シラス干し　3g	0.1g	0.6g	5mg	14mg	3kcal
6	酢の物・甘酢　大さじ1弱（12g）	0.1g	微量	1mg	微量	14kcal
7	かぶの葉の塩漬け	0.5g	0.4g	58mg	9mg	5kcal
8	みそ汁・汁　150mL	1.4g	1.4g	133mg	37mg	21kcal
9	みそ汁・豆腐　35g	微量	1.9g	53mg	24mg	20kcal
10	みそ汁・なめこ　25g	0g	0.2g	33mg	9mg	4kcal
11	みそ汁・ねぎ　10g	0g	0.1g	20mg	3mg	4kcal
12	ごはん　180g	0g	3.6g	52mg	61mg	281kcal

塩分を控えるには 何を減らす？何を食べる？

焼き魚は½量にすれば塩分1.1g減に。塩味が強ければ、ふり塩のついた皮を残しましょう。みそ汁は具のみ食べれば塩分は約1.2g減、漬物も残せばさらに0.5g減。これで定食全体の塩分を半分以下に減らせます。

たんぱく質を控えるには 何を減らす？何を食べる？

焼き魚は½量にするとたんぱく質量も約13gになります。シラス干しはなるべく残して。ごはんだけで主食からとるたんぱく質の1日量の8割前後を占めるので、ほかの食事で低たんぱく質ごはんにするなど調整を。

カリウムを控えるには 何を減らす？何を食べる？

焼き魚を½量にするとカリウムは約280mg減に。みそ汁の汁を飲まないようにするとカリウムを若干減らせます。酢の物の野菜のカリウムは気にするほどではありません。漬物は塩分もあるので控えましょう。

リンを控えるには 何を減らす？何を食べる？

焼き魚を½量にするとリンも減らすことができます。内臓、骨ごと食べるシラス干しはリンが多いので、制限がある場合はなるべく避けましょう。みそもリンが多いので、みそ汁は具だけを食べましょう。

エビチリ定食

466 kcal

塩分	たんぱく質	カリウム
6.2 g	23.4 g	786 mg
リン	脂質	炭水化物
437 mg	4.9 g	76.6 g

エビチリは同じ中国料理の青椒肉絲（ちんじゃおろーすー）やレバにらなどに比べて野菜の割合が少ないので、1皿あたりのたんぱく質量が多くなります。味も濃いめで、エビチリだけで塩分2gを超えるのは健常な人にとっても多いといえます。

No.	材料名・重量（概量）	塩分	たんぱく質	カリウム	リン	エネルギー
1	エビチリ・エビ　90g	0.7g	16.4g	387mg	279mg	94kcal
2	エビチリ・エビソース（あん）　100g	1.4g	1.6g	172mg	58mg	66kcal
3	スープ・汁　180mL	1.2g	0.2g	14mg	4mg	3kcal
4	スープ・卵　10g	微量	1.1g	13mg	17mg	14kcal
5	スープ・わかめ　10g	0.1g	0.1g	1mg	3mg	2kcal
6	スープ・ねぎ　5g	0g	0.1g	10mg	1mg	2kcal
7	ザーサイ　20g	2.7g	0.4g	136mg	13mg	4kcal
8	ごはん　180g	0g	3.6g	52mg	61mg	281kcal

塩分を控えるには
何を減らす？何を食べる？

エビチリは半分残し、皿に残ったあんは食べないようにすれば塩分1g以上減。ザーサイも残すと塩分はさらに2.7g減です。スープは½量だけ飲むと塩分0.6g減。これで定食全体の塩分は1g台後半になります。

たんぱく質を控えるには
何を減らす？何を食べる？

エビチリを半量にしてたんぱく質を10g前後におさえます。スープの卵もたんぱく質源ですが、卵だけ残すのは難しいので、全体を半量に減らしましょう。ごはんはたんぱく質が多いので、ほかの食事の主食で調整を。

カリウムを控えるには
何を減らす？何を食べる？

エビチリを半量にするとカリウムを約280mg減らせます。ザーサイは食べる量は少ないわりには塩分もカリウムも多く含まれます。ザーサイを残すことでカリウムは136mg減になります。

リンを控えるには
何を減らす？何を食べる？

エビチリを半量にすることでリンも約170mg控えられます。スープ、ザーサイ、ごはんはリンを気にすることはありませんが、スープとザーサイには塩分が多く含まれることに気を配りましょう。

外食アドバイス ◎ 丼・すし

丼・すし

牛丼セット 803 kcal

塩分	たんぱく質	カリウム
5.1g	19.1g	600mg

リン	脂質	炭水化物
288mg	28.8g	109.2g

丼はごはんに煮汁がしみ込むので、塩分調整のために減らす必要があります。にぎりずしはネタによりますが1食分6～8貫が目安。

丼の中では比較的たんぱく質は少ないほうですが、それでも牛丼だけでたんぱく質は約15gあるので食べる量の調整を。追加で卵をのせるのは控えましょう。また、塩分が多いので煮汁を増やす「つゆだく」はしないようにしましょう。

No.	材料名・重量（概量）	塩分	たんぱく質	カリウム	リン	エネルギー
1	牛丼・ごはん 250g	0g	5.0g	73mg	85mg	390kcal
2	牛丼・具 約300g	3.0g	10.5g	330mg	135mg	366kcal
3	みそ汁・汁 160mL	1.4g	1.4g	133mg	37mg	21kcal
4	みそ汁・わかめ 10g	0.1g	0.1g	1mg	3mg	2kcal
5	みそ汁・絹ごし豆腐 40g	微量	2.1g	60mg	27mg	22kcal
6	紅しょうが 10g	0.6g	微量	3mg	1mg	2kcal

塩分を控えるには 何を減らす？何を食べる？

牛丼の具を½量、ごはんを⅓量残すと、塩分は約1.5g減らせます。紅しょうがは少量でも塩分が多いので控えましょう。みそ汁は汁を残して約1g減。こうすれば塩分は約3g減らせます。

たんぱく質を控えるには 何を減らす？何を食べる？

牛丼の具を½量、ごはんを⅓量残すと、たんぱく質を約7.0g減らせます。みそ汁は塩分摂取量をおさえるためにも1日1杯以下にしたいので、食べるなら、ほかの食事では汁物を飲まないようにしましょう。

カリウムを控えるには 何を減らす？何を食べる？

牛丼の具を½量、ごはんを⅓量残すことで、カリウムを約140mg減らせます。みそ汁は汁を飲まないことで約100mgを減らせます。紅しょうがは少量ですが、塩分も含まれるので控えるようにしましょう。

リンを控えるには 何を減らす？何を食べる？

リンはたんぱく質食品に多く含まれるので、牛丼の具を½量にすることで約68mgのリンを減らすことができます。みそ汁の具の豆腐は、もめん豆腐よりも絹ごしのほうがリンが少なくなります。

にぎりずし

415 kcal

塩分	たんぱく質	カリウム
2.6g	21.3g	381mg

リン	脂質	炭水化物
316mg	7.4g	61.9g

すし飯にもネタにも塩分があります。たんぱく質量はネタによって異なります。たんぱく質が多いのはマグロ赤身や魚卵、卵焼きなど。写真にはありませんが、赤貝やアオヤギ、ウニは低たんぱく質です。1食分は6～8貫ですが、すし飯もネタも小さくすれば10貫までOK。

No.	材料名・重量（概量）	塩分	たんぱく質	カリウム	リン	エネルギー
1	にぎりすし飯　15g（1個あたり）	0.1g	0.3g	4mg	5mg	22kcal
2	にぎりネタ・サーモン　11g	微量	1.9g	41mg	26mg	24kcal
3	にぎりネタ・マグロ　12g	微量	2.7g	46mg	32mg	14kcal
4	にぎりネタ・イカ　9g	微量	1.2g	27mg	23mg	7kcal
5	にぎりネタ・エビ　10g	0.1g	2.4g	50mg	39mg	12kcal
6	にぎりネタ・卵焼き　44g	0.5g	4.1g	57mg	66mg	64kcal
7	にぎりネタ・アナゴ　10g	微量	1.5g	28mg	18mg	17kcal
8	軍艦巻きすし飯（のり含む）　12g	0.1g	0.3g	6mg	5mg	18kcal
9	軍艦巻きネタ・イクラ　5g	0.1g	1.4g	11mg	27mg	13kcal
10	軍艦巻きネタ・トビコ　7g	0.2g	0.7g	未測定	未測定	6kcal
11	細巻きすし飯　10g（1個あたり）	0.1g	0.2g	5mg	4mg	15kcal
12	細巻きネタ・きゅうり　9g（3個あたり）	0g	0.1g	18mg	3mg	1kcal
13	細巻きネタ・マグロ　9g（3個あたり）	0g	2.0g	34mg	24mg	10kcal
14	しょうが甘酢漬け　5g	0.1g	微量	1mg	微量	2kcal
15	レモン　5g	0g	微量	7mg	1mg	2kcal

外食アドバイス ◎ 丼・すし

塩分を控えるには
何を減らす？何を食べる？

にぎり1貫、軍艦巻き1貫、細巻き1個のすし飯の塩分が約0.1g。ネタは魚介の場合、1貫あたり塩分約0.1gになります。しょうがの甘酢漬けは残しましょう。つけじょうゆの量は小さじ1（塩分0.9g）を目安に。

たんぱく質を控えるには
何を減らす？何を食べる？

にぎり1貫、軍艦巻き1貫、細巻き1個のすし飯のたんぱく質は約0.3g。高たんぱく質のマグロ赤身や卵を選ぶと1食5～6貫が目安。低たんぱく質のイカや赤貝、ウニやかっぱ巻きを選べば8貫くらいまでが目安に。

カリウムを控えるには
何を減らす？何を食べる？

かっぱ巻きのきゅうりはカリウムの多い具ですが、1食で食べる量がそれほど多くないので気にする必要はありません。むしろ、たんぱく質量をおさえてエネルギーを確保するのに、かっぱ巻きは重宝します。

リンを控えるには
何を減らす？何を食べる？

ネタの中でも魚卵、エビ、卵焼きはリンが多いので、制限が厳しい人は控えたほうが安心です。また、マグロなら赤身よりトロのほうがたんぱく質が少なく、リンの含有量も少なくなります。

外食アドバイス ◉ 洋食

洋食

ハンバーグセット　634 kcal

塩分	たんぱく質	カリウム
4.4 g	21.2 g	802 mg
リン	脂質	炭水化物
279 mg	19.7 g	87.4 g

具が少ないピラフやきのこパスタ、野菜カレーは比較的安心。肉や魚が主菜のセットはたんぱく質がどうしても多くなります。

ハンバーグは肉料理の中ではたんぱく質が少なめですが、それでも食べられるのは半分程度。セットのスープが写真のようなコーンスープの場合は、牛乳やクリームなどの乳製品が入っている分、塩分だけでなくたんぱく質も過多になってしまいます。

No.	材料名・重量（概量）	塩分	たんぱく質	カリウム	リン	エネルギー
1	ハンバーグ　130g	1.2g	15.2g	364mg	143mg	256kcal
2	ハンバーグソース　25g	1.6g	0.2g	67mg	5mg	28kcal
3	ほうれん草のソテー　30g	0.5g	0.6g	134mg	12mg	24kcal
4	焼きとうもろこし　45g（正味20g）	0g	0.5g	58mg	20mg	19kcal
5	にんじんのグラッセ　20g	0.2g	0.1g	48mg	5mg	11kcal
6	コーンスープ　100g	0.9g	1.6g	88mg	42mg	62kcal
7	ごはん　150g	0g	3.0g	44mg	51mg	234kcal

塩分 を控えるには 何を減らす？何を食べる？

ハンバーグはソースも含めて半分残すことで塩分は1.4g減に。スープはたんぱく質、カリウムが多いので、食べなければ塩分0.9g減に。これで塩分は合計で2.3gほど減らせます。つけ合わせの野菜は食べましょう。

たんぱく質 を控えるには 何を減らす？何を食べる？

ハンバーグとソースを半量にすればたんぱく質は約8gにおさえられます。スープはたんぱく質の面でも残すのが無難。ごはんは全量食べてもよいのですが、ほかの食事で低たんぱく質の主食を利用して調整しましょう。

カリウム を控えるには 何を減らす？何を食べる？

ハンバーグとソースを半量ずつにすればカリウムは約200mg減らせます。野菜にはカリウムが含まれますが、食物繊維やカロテン、ビタミンCが補えるので食べましょう。スープを残せばカリウムも88mg減に。

リン を控えるには 何を減らす？何を食べる？

たんぱく質を控えるためにハンバーグを半量にすることでリンの摂取量も約70mg減らせます。つけ合わせ野菜の中では、とうもろこしにリンが比較的多いのですが、写真の量なら食べてもよいでしょう。

ミックスフライセット

748 kcal

塩分	たんぱく質	カリウム
3.7 g	25.8 g	770 mg
リン	脂質	炭水化物
378 mg	39.4 g	68.9 g

魚介の摂取目安量が1日50g前後なので、ミックスフライは3種のうち1種を選ぶか、⅓量ずつ食べるかのどちらかになります。フライを減らすと塩分やカリウムも控えられます。タルタルソースは卵ベースなのでたんぱく質を含みます。つける量を控えめにしましょう。

外食アドバイス ◎ 洋食

No.	材料名・重量（概量）	塩分	たんぱく質	カリウム	リン	エネルギー
1	エビフライ　55g	0.5g	7.3g	110mg	110mg	130kcal
2	白身魚フライ　50g	0.5g	4.9g	120mg	50mg	150kcal
3	ホタテフライ　50g	0.2g	5.9g	164mg	104mg	112kcal
4	タルタルソース　20g	0.2g	0.8g	11mg	17mg	76kcal
5	キャベツ　15g	0g	0.1g	30mg	4mg	3kcal
6	ホワイトアスパラガス　45g	0.4g	0.7g	77mg	18mg	11kcal
7	きゅうり　25g	0g	0.2g	50mg	9mg	3kcal
8	トマト　50g	0g	0.3g	105mg	13mg	10kcal
9	コンソメスープ	0.7g	0.3g	34mg	8mg	11kcal
10	フランスパン　60g	1.0g	5.2g	66mg	43mg	173kcal
11	バター　10g	0.2g	0.1g	3mg	2mg	70kcal

塩分 を控えるには
何を減らす？何を食べる？

フライを1種類にするか、3種を⅓量ずつにするかで塩分0.2～0.5g減。タルタルソースは½量までに。アスパラも残せば塩分0.4g減、スープを½量にして塩分0.4g減に。パン自体に塩分があるので、バターは控えます。

たんぱく質 を控えるには
何を減らす？何を食べる？

魚介はもちろん、衣にもたんぱく質が含まれるので、食べる量は⅓量までに。これでたんぱく質量は約6gに減らせます。タルタルソースを½量にすればさらに0.4g減らすことができます。

カリウム を控えるには
何を減らす？何を食べる？

フライを⅓量にすることでカリウムを約130mgに減らせます。野菜はビタミンやミネラル、食物繊維を補うために食べたいものですが、カリウム制限がある場合は、カリウムが多いトマトを残しましょう。

リン を控えるには
何を減らす？何を食べる？

3種あるフライを1種残すと、50～110mgのリンを減らすことができます。つけ合わせ野菜は食べてOK。パンはライ麦や雑穀入りのものはリンが多くなるので、フランスパンにするのが無難です。

イタリアン

スパゲティミートソース　519 kcal

塩分	たんぱく質	カリウム
5.3 g	19.0 g	411 mg
リン	脂質	炭水化物
203 mg	9.3 g	85.4 g

パスタやピザの1人分はたんぱく質、塩分ともに多いので、何人かでシェアして。チーズはたんぱく質も塩分も多いので控えめに。

肉と野菜の割合によりますが、ミートソースは半量くらいを目安に。ソースとスパゲティを混ぜてしまうと量をコントロールしにくいので、混ぜる前に食べる分をとり分けるようにします。食後に飲み物をつけるなら、紅茶に砂糖を加えてエネルギー不足を補いましょう。

No.	材料名・重量（概量）	塩分	たんぱく質	カリウム	リン	エネルギー
1	ゆでスパゲティ　250 g	3.0 g	13.3 g	35 mg	133 mg	375 kcal
2	ミートソース　150 g	2.3 g	5.7 g	375 mg	71 mg	144 kcal
3	パセリ　少量	0 g	0 g	1 mg	微量	微量

塩分を控えるには
何を減らす？何を食べる？

スパゲティにも塩分が含まれるので、½量にして塩分1.5 g 減。ミートソースも½量にすることで塩分約1.1 g 減。これで料理全体の塩分は約2.7 gになります。トッピングの粉チーズは塩分が多いので控えましょう。

たんぱく質を控えるには
何を減らす？何を食べる？

スパゲティはめん類の中でもたんぱく質が多いので、½量にして6.7 g 減。ミートソースも½量にして2.9 g 減。これで料理全体のたんぱく質量は10 g以下になります。

カリウムを控えるには
何を減らす？何を食べる？

ミートソースに使われるトマトの水煮にカリウムが多いので、ソースを½量にすることで、カリウムを約188 mg 減らすことができます。ソースを減らすことで、塩分やたんぱく質を減らす効果もあります。

リンを控えるには
何を減らす？何を食べる？

リンはたんぱく質食品や主食に多く含まれています。このメニューでは、たんぱく質や塩分を控えるためにミートソースやスパゲティの量を減らすことで、リンもあわせて控えることができます。

スパゲティボンゴレ

510 kcal

塩分	たんぱく質	カリウム
4.8g	15.3g	182mg
リン	脂質	炭水化物
184mg	14.0g	75.8g

アサリは塩分を多く含みますが、たんぱく質は少なく、鉄が豊富なので食べましょう。ただし、ボンゴレソースにはアサリのうま味といっしょに塩分も含まれているので、アサリの身は全部食べても、ソースは極力残すようにします。

外食アドバイス◎イタリアン

No.	材料名・重量（概量）	塩分	たんぱく質	カリウム	リン	エネルギー
1	ゆでスパゲティ　250g	3.0g	13.3g	35mg	133mg	375kcal
2	アサリソース（アサリ殻つき90g）	1.8g	1.8g	121mg	43mg	124kcal
3	にんにくチップ	0g	0.2g	26mg	8mg	11kcal

塩分を控えるには
何を減らす？何を食べる？

アサリの身は全部食べて、ソースを極力残すと塩分約1g減。さらにスパゲティを⅓量残して約1g減。料理全体で塩分は約3gになります。パンが添えられていても塩分やたんぱく質量が増えるので食べないように。

たんぱく質を控えるには
何を減らす？何を食べる？

アサリは低たんぱく質なので、身は全部食べて大丈夫。スパゲティは⅓量を残してたんぱく質を約4gにしても、1日の穀類からとるたんぱく質の目安量4～5gと同じになるので、ほかの食事で調整しましょう。

カリウムを控えるには
何を減らす？何を食べる？

全体的にカリウムが少ない料理です。カリウム調整のために減らす食材は特にありませんが、塩分やたんぱく質の調整のためにソースを残し、スパゲティを⅓量減らすことで約80mgのカリウムが減らせます。

リンを控えるには
何を減らす？何を食べる？

アサリは、水煮缶詰めの場合はリンが多くなります。生のアサリを使って調理してあるもののほうがリンを控えることができます。写真の殻つきアサリのボンゴレなら安心でしょう。心配ならば店の人に確認を。

居酒屋

串焼き盛り合わせ 758 kcal

塩分 3.7g	たんぱく質 57.9g	カリウム 1155mg
リン 658mg	脂質 48.3g	炭水化物 21.4g

酒の肴は高たんぱく質、高塩分のものが多いと心得て。大皿料理が多いので、食べる前に量を決めてとり分けておくと安心です。

1食分の肉からのたんぱく質の摂取目安を考えると、肉中心の串焼きの場合は1～2本が適量。肉そのものだけより、ねぎやアスパラなど野菜と組み合わせたものを選ぶとボリューム感があり、満足できます。

No.	材料名・重量（概量）	塩分	たんぱく質	カリウム	リン	エネルギー
1	正肉・たれ　30g	0.3g	7.8g	137mg	79mg	91kcal
2	ねぎま・たれ　45g	0.4g	5.5g	147mg	62mg	74kcal
3	アスパラ巻き・たれ　45g	0.4g	3.3g	139mg	48mg	87kcal
4	しそ巻き・たれ　35g	0.4g	7.1g	163mg	90mg	43kcal
5	つくね・たれ　40g	0.4g	7.5g	145mg	61mg	95kcal
6	手羽・塩　60g（正味40g）	0.4g	10.7g	143mg	98mg	123kcal
7	皮・塩　20g	0.3g	1.8g	26mg	15mg	141kcal
8	レバー・たれ　35g	0.4g	7.4g	158mg	139mg	53kcal
9	砂肝・塩　25g	0.2g	3.9g	58mg	35mg	22kcal
10	白もつ・たれ　20g	0.4g	2.9g	40mg	32mg	30kcal

塩分を控えるには　何を減らす？何を食べる？

たれ味も塩味も1本の塩分は0.4g前後。店によりますが、たれや塩の量を減らしてもらえるようならお願いして、食べるときに塩分のない七味とうがらしやこしょうなどで香味や風味を補うとよいでしょう。

たんぱく質を控えるには　何を減らす？何を食べる？

串焼き1本のたんぱく質は約6g。たんぱく質量を考えると低たんぱく質の皮を1本とねぎまやアスパラ巻きなどを1～2本、野菜2本くらいに。刺し身や豆腐などたんぱく質源の肴を食べるなら、その分減らしましょう。

カリウムを控えるには　何を減らす？何を食べる？

串焼きは、カリウムについてはあまり気にしなくてよいでしょう。野菜の串の場合は若干カリウムが多くなりますが、栄養バランスやたんぱく質量をおさえながら満足感を得るには必要です。

リンを控えるには　何を減らす？何を食べる？

レバーは1本で100mg以上のリンが含まれ、ほかの種類の串焼きに比べてかなり多く含まれるので、控えましょう。皮はたんぱく質もリンも少なくてエネルギーは多いので、おすすめします。

おでん盛り合わせ

691 kcal

塩分	たんぱく質	カリウム
4.9 g	46.1 g	1089 mg

リン	脂質	炭水化物
570 mg	28.2 g	58.5 g

おでんは全般的にたんぱく質、塩分が多い。中でも練り製品はそれ自体に塩分2〜3％を含み、さらに煮汁を吸うので1食分5個で塩分約3 gに。ゆで卵はほかの食事で卵を食べていないなら、たんぱく質源として良質なので優先的に食べましょう。

外食アドバイス ◎ 居酒屋

No.	材料名・重量（概量）	塩分	たんぱく質	カリウム	リン	エネルギー
1	はんぺん　35 g	0.6 g	3.5 g	58 mg	40 mg	34 kcal
2	厚揚げ　65 g	0.2 g	6.8 g	84 mg	100 mg	96 kcal
3	大根　95 g	0.3 g	0.6 g	209 mg	18 mg	18 kcal
4	こんにゃく　30 g	0.1 g	0.1 g	12 mg	3 mg	3 kcal
5	ごぼう天　45 g	0.6 g	4.3 g	51 mg	30 mg	52 kcal
6	もち入り袋　65 g	0.2 g	6.2 g	41 mg	82 mg	168 kcal
7	焼きちくわ　45 g	0.9 g	5.1 g	43 mg	50 mg	54 kcal
8	しらたき　30 g	0.2 g	0.2 g	9 mg	5 mg	4 kcal
9	ちくわ麩　25 g	0.1 g	1.7 g	3 mg	9 mg	41 kcal
10	こんぶ　15 g	0.4 g	0.3 g	390 mg	12 mg	11 kcal
11	つみれ　50 g	0.7 g	6.0 g	90 mg	60 mg	52 kcal
12	がんもどき　40 g	0.2 g	6.1 g	33 mg	81 mg	90 kcal
13	ゆで卵　45 g	0.3 g	5.1 g	62 mg	78 mg	62 kcal
14	練りがらし　2 g	0.1 g	0.1 g	4 mg	2 mg	6 kcal

塩分 を控えるには 何を減らす？何を食べる？

味のしみ込みにくいこんにゃくやしらたきは塩分が低めです。練り製品は塩分もたんぱく質も多いので、避けたほうが無難。汁はなるべく飲まないようにし、七味とうがらしや練りがらしの香味で食べるようにしましょう。

たんぱく質 を控えるには 何を減らす？何を食べる？

厚揚げ、ゆで卵、がんもどきはたんぱく質が多め。1食分のたんぱく質摂取目安量を考えてどれか1つを選び、大根やこんにゃく、こんぶなどを組み合わせます。練り製品は塩分も多いので避けましょう。

カリウム を控えるには 何を減らす？何を食べる？

大根やこんぶにカリウムが多く含まれますが、たんぱく質の調整を考えるとこれらは食べたほうがよい食品です。そのため、おでんのカリウム量についてはあまり気にすることはありません。

リン を控えるには 何を減らす？何を食べる？

厚揚げ、がんもどき、もち入り袋は大豆製品なのでリンが多め（1個につき80〜100 mg）。食べるならどれか1つにしましょう。練り製品もリンが多いので1種類に。大根、こんぶ、ごぼう天はOKです。

外食アドバイス◎ファストフード

ファストフード

チーズバーガーセット　675 kcal

塩分	たんぱく質	カリウム
3.0 g	15.2 g	864 mg
リン	脂質	炭水化物
310 mg	24.1 g	98.4 g

バーガー類の塩分やたんぱく質量はバンズパンやミートパテの大きさ、チーズやベーコンの有無、ソースの種類などで違ってきます。

バーガー類ではシンプルなハンバーガーのほうが塩分1.5g、たんぱく質8.2gと少なくなります。飲み物はたんぱく質やカリウムを含む牛乳や果汁ジュース、コーヒーより、たんぱく質やカリウムが少ない炭酸飲料か紅茶を選ぶとよいでしょう。

No.	材料名・重量（概量）	塩分	たんぱく質	カリウム	リン	エネルギー
1	バンズパン　55g	0.7g	4.0g	52mg	41mg	142kcal
2	バター　4g	0.1g	微量	1mg	1mg	28kcal
3	チーズ　20g	0.6g	4.3g	12mg	146mg	63kcal
4	ミートパテ　35g	0.3g	4.1g	98mg	39mg	69kcal
5	ピクルス　7g	0.1g	微量	1mg	1mg	5kcal
6	トマトケチャップ　10g	0.3g	0.1g	38mg	4mg	10kcal
7	フレンチフライドポテト　100g	1.0g	2.3g	661mg	48mg	229kcal
8	コーラ（Mサイズ）　280g	0g	0.3g	微量	31mg	129kcal

塩分を控えるには
何を減らす？何を食べる？
チーズ20gで塩分0.6g。たんぱく質量を減らすためチーズバーガーを半分だけ食べると塩分は約1gに。加えてエネルギー確保でポテトを食べると全体の塩分は2gになります。ポテトにケチャップはつけないように。

たんぱく質を控えるには
何を減らす？何を食べる？
チーズバーガーを半量にすることで、たんぱく質は約6g減に。その分エネルギーが不足するので、たんぱく質が少なめのポテトを食べて補います。ただし、ポテトは塩分が多いので、かける塩を減らしてもらえると◎。

カリウムを控えるには
何を減らす？何を食べる？
生野菜がないのでカリウムはさほど気にすることはありません。ただ、ポテトはエネルギー補充になりますが、カリウム量は多いので、制限がある人は½量にして約330mg減らすと安心です。

リンを控えるには
何を減らす？何を食べる？
たんぱく質、塩分の調整のために、チーズバーガーを半量にすればリンも控えられます。清涼飲料水はリンを含むので、ガムシロップやクリームを入れたアイスティがおすすめです。

フィッシュバーガーセット 579kcal

塩分	たんぱく質	カリウム
3.4g	18.0g	570mg
リン	脂質	炭水化物
338mg	33.9g	48.0g

フィッシュバーガーは脂肪の少ない白身魚と卵を含むタルタルソースの組み合わせなので、バーガー類の中ではたんぱく質が多めです。塩分の調整も兼ねて食べる量を減らしましょう。コーヒーはカリウムが多いので、紅茶や無果汁の炭酸飲料に。

外食アドバイス ◎ ファストフード

No.	材料名・重量（概量）	塩分	たんぱく質	カリウム	リン	エネルギー
1	バンズパン　55g	0.7g	4.0g	52mg	41mg	142kcal
2	バター　4g	0.1g	微量	1mg	1mg	28kcal
3	チーズ　15g	0.4g	3.2g	9mg	110mg	47kcal
4	フィッシュフライ　50g	0.8g	9.3g	203mg	140mg	230kcal
5	タルタルソース　10g	0.1g	0.4g	6mg	8mg	38kcal
6	コーン　20g	0.1g	0.4g	26mg	8mg	16kcal
7	トマト　20g	0g	0.1g	42mg	5mg	4kcal
8	玉ねぎ　4g	0g	微量	6mg	1mg	1kcal
9	ピーマン　1g	0g	0g	2mg	微量	微量
10	レタス　50g	0g	0.3g	100mg	11mg	6kcal
11	フレンチドレッシング　18g	1.1g	0g	微量	微量	59kcal
12	アイスコーヒー（Sサイズ）　190g	0g	0.2g	124mg	13mg	8kcal

塩分 を控えるには
何を減らす？何を食べる？

バンズパン、バター、チーズ、フィッシュフライ、タルタルソースに塩分があります。たんぱく質量を考えても2/3量が目安。これで塩分1.4gに。サラダはドレッシングを1/3量にして約0.4g。合計で塩分は1.9gになります。

たんぱく質 を控えるには
何を減らす？何を食べる？

フィッシュフライだけで全体のたんぱく質量の約半分を占めます。バンズにもたんぱく質が含まれるので、2/3量食べてたんぱく質量は約11gに。サラダは野菜摂取のため、ドレッシングを少し残して全部食べましょう。

カリウム を控えるには
何を減らす？何を食べる？

フィッシュフライにカリウムが多いので、バーガーを1/3量残すと約90mg減らせます。サラダはカリウムの多いレタスとトマトを控えて。飲み物のコーヒーはカリウムが多いので飲む量を減らすか、ほかの飲み物に。

リン を控えるには
何を減らす？何を食べる？

たんぱく質、塩分の調整のためにフィッシュフライを減らすことで、リンも控えることができます。たんぱく質が多い食品はリンも多く含むからです。野菜のリンの量は気にする必要はありません。飲み物は紅茶でもOK。

コンビニ弁当

外食アドバイス ◎ コンビニ弁当

ハンバーグ弁当　925 kcal

塩分	たんぱく質	カリウム
4.4g	29.6g	663mg
リン	脂質	炭水化物
351mg	28.0g	129.7g

コンビニ弁当は野菜料理が少なく、主食や肉、魚のおかずが多いため、たんぱく質、塩分ともに多い。主食もおかずも調整が必要です。

主菜のハンバーグ以外にソーセージや鶏肉のから揚げなど、たんぱく質源のおかずが多く入っています。主食のごはんの量も多いので、おかずとともに1/3量程度残しましょう。漬物は塩分が多いので箸をつけないようにします。

No.	材料名・重量（概量）	塩分	たんぱく質	カリウム	リン	エネルギー
1	ごはん　280g（青のり微量）	微量	5.7g	94mg	97mg	438kcal
2	ハンバーグ　80g	0.7g	9.4g	224mg	88mg	158kcal
3	ハンバーグソース　10g	0.6g	0.1g	29mg	2mg	11kcal
4	スパゲティケチャップあえ　15g	0.3g	0.9g	10mg	11mg	29kcal
5	ポテトサラダ　15g	0.4g	0.3g	35mg	7mg	41kcal
6	フランクフルトソーセージ　9g	0.2g	1.0g	18mg	15mg	27kcal
7	鶏肉のから揚げ　64g	0.6g	11.2g	203mg	118mg	180kcal
8	紅しょうが　10g	0.6g	微量	3mg	1mg	2kcal
9	焼きそば　15g	0.4g	0.7g	20mg	6mg	33kcal
10	にんじんの煮物　8g	0.1g	0.1g	21mg	3mg	3kcal
11	柴漬け　11g	0.5g	0.2g	6mg	3mg	3kcal

塩分 を控えるには
何を減らす？何を食べる？

紅しょうが、柴漬けなど漬物は控えましょう。たんぱく質の調整は、ハンバーグか鶏肉のから揚げのどちらかを残しますが、塩分はハンバーグのほうが多く含まれます。スパゲティ、焼きそばも控えるのが賢明です。

たんぱく質 を控えるには
何を減らす？何を食べる？

ハンバーグか鶏肉のから揚げのどちらかを残す、どちらも1/2量にするなどしても、たんぱく質は1食分の目安量を超えます。ほかの食事で主菜を控えます。ごはんは2/3量にして約2g減に、スパゲティと焼きそばは残して。

カリウム を控えるには
何を減らす？何を食べる？

ハンバーグか鶏肉のから揚げのどちらかを残すことで約200mg減になります。にんじんの煮物は、野菜の少ない弁当の中で貴重な野菜摂取源となるので、カリウム量を気にせずに食べましょう。

リン を控えるには
何を減らす？何を食べる？

リンはこの弁当だと肉料理や肉加工品に多く含まれるので、それらを減らすようにすればたんぱく質、塩分とともにリンも控えられます。主食はリンの少ないごはんを優先的に食べ、スパゲティは残しましょう。

塩ザケ弁当

650 kcal

塩分	たんぱく質	カリウム
3.6g	25.8g	841mg

リン	脂質	炭水化物
379mg	14.6g	97.8g

塩ザケのほかにも卵焼き、鶏肉のマヨネーズ焼き、かまぼこなどのたんぱく質のおかずが入っています。主食のごはんやスパゲティなどとともに、食べる量の調整を。塩分の多い梅干しや漬物、煮物、つくだ煮も控えます。

外食アドバイス◎コンビニ弁当

No.	材料名・重量（概量）	塩分	たんぱく質	カリウム	リン	エネルギー
1	ごはん　225g（黒ごま少量含む）	0g	4.7g	69mg	82mg	355kcal
2	梅干し　2g（正味1g）	0.2g	0g	2mg	微量	微量
3	たくあん　4g	0.1g	微量	2mg	微量	2kcal
4	卵焼き　18g	0.2g	1.8g	23mg	29mg	22kcal
5	かまぼこ　6g	0.2g	0.7g	7mg	4mg	6kcal
6	鶏肉のマヨネーズ焼き　20g	0.1g	4.4g	86mg	54mg	67kcal
7	スパゲティ　20g	0.3g	1.1g	3mg	11mg	39kcal
8	塩ザケ　60g	1.1g	11.6g	192mg	162mg	110kcal
9	のりのつくだ煮　5g	0.3g	0.6g	8mg	3mg	7kcal
10	野菜たき合わせ・にんじん　10g	0.2g	0.1g	31mg	4mg	5kcal
11	野菜たき合わせ・大根　16g	0.2g	0.1g	42mg	5mg	5kcal
12	野菜たき合わせ・かぼちゃ　20g	0.2g	0.3g	96mg	11mg	19kcal
13	こんぶの煮物　13g	0.5g	0.4g	280mg	14mg	13kcal

塩分を控えるには
何を減らす？何を食べる？

少量で塩分の多い梅干しやこんぶの煮物、のりのつくだ煮、たくあんを残すと1gの減塩に。塩ザケだけで塩分1.1gなので、1/3量は残しましょう。かまぼこは塩分、たんぱく質の調整のため、食べないほうが無難です。

たんぱく質を控えるには
何を減らす？何を食べる？

塩ザケ、卵焼き、鶏肉のマヨネーズ焼きのたんぱく質合計は17.8gなので、1/2～1/3量を残して、たんぱく質量をおさえましょう。主食はごはんは食べて、スパゲティを残せば1.1g減です。

カリウムを控えるには
何を減らす？何を食べる？

塩分やたんぱく質の調整で塩ザケを減らすと、カリウムも減ります。こんぶの煮物は塩分だけでなくカリウムも多いので残して。野菜摂取のために煮物は必要ですが、カリウムを調整するならかぼちゃを残しましょう。

リンを控えるには
何を減らす？何を食べる？

リンが多いのは卵焼き、塩ザケ、かまぼこ。鶏肉のマヨネーズ焼きは塩分が少なく、効率よくエネルギーがとれるので優先してOK。漬物は少量でも塩分が多く、加工にリンが使われているので、控えましょう。

めん

めん類は汁があるため高塩分です。汁は極力飲まないように。めんはたんぱく質が多いので、⅓量減らしましょう。

天ぷらそば

塩分	5.1g
たんぱく質	21.5g
カリウム	537mg
リン	354mg
脂質	7.9g
炭水化物	62.0g
	424kcal

そば（ゆで）170g、エビ天 65g

きつねうどん

塩分	6.2g
たんぱく質	14.0g
カリウム	367mg
リン	202mg
脂質	6.7g
炭水化物	67.5g
	401kcal

うどん（ゆで）220g、油揚げ 50g

なべ焼きうどん

塩分	6.1g
たんぱく質	20.2g
カリウム	493mg
リン	266mg
脂質	7.0g
炭水化物	64.2g
	416kcal

うどん（ゆで）220g、卵½個、エビ天 40g、かまぼこ 10g

塩ラーメン

塩分	7.5g
たんぱく質	16.9g
カリウム	643mg
リン	256mg
脂質	7.5g
炭水化物	70.4g
	428kcal

めん（ゆで）220g、卵½個

みそラーメン

塩分	7.5g
たんぱく質	22.9g
カリウム	719mg
リン	352mg
脂質	9.4g
炭水化物	81.9g
	517kcal

めん（ゆで）220g、焼き豚 30g

冷やし中華

塩分	5.5g
たんぱく質	20.5g
カリウム	612mg
リン	243mg
脂質	7.2g
炭水化物	78.1g
	488kcal

めん（ゆで）220g、錦糸卵 25g、焼き豚 25g

定食・丼

1食分でたんぱく質量が20～40gほどあるので、肉や魚は半量くらいにおさえたい。汁物の汁は残して塩分調整しましょう。

鶏肉の照り焼き定食

塩分	5.8g
たんぱく質	26.3g
カリウム	849mg
リン	361mg
脂質	23.5g
炭水化物	78.9g
	649kcal

ごはん180g、鶏肉の照り焼き60g、シジミ殻つき25g

麻婆豆腐定食

塩分	6.0g
たんぱく質	21.8g
カリウム	509mg
リン	278mg
脂質	21.0g
炭水化物	77.3g
	608kcal

ごはん200g、もめん豆腐150g、麻婆あん75g

ウナ重セット

塩分	4.4g
たんぱく質	27.2g
カリウム	585mg
リン	452mg
脂質	20.4g
炭水化物	103.2g
	720kcal

ごはん250g、ウナギのかば焼き100g、ウナギの肝10g

親子丼セット

塩分	7.0g
たんぱく質	36.0g
カリウム	1180mg
リン	591mg
脂質	20.3g
炭水化物	111.2g
	789kcal

ごはん250g、卵2個、鶏肉40g、油揚げ20g

カツ丼セット

塩分	6.3g
たんぱく質	38.9g
カリウム	982mg
リン	546mg
脂質	48.3g
炭水化物	132.1g
	1141kcal

ごはん300g、豚カツ120g、卵1個、アサリ殻つき25g

中華丼

塩分	3.1g
たんぱく質	20.1g
カリウム	558mg
リン	333mg
脂質	13.1g
炭水化物	96.4g
	605kcal

ごはん250g、豚肉20g、うずらの卵1個、魚介35g

洋食・イタリアン

ピザは写真の¼量が1食分の目安量です。グラタンはチーズ、ホワイトソースが入り高たんぱく質なので、写真の⅓量が上限です。

カレーライス

塩分	3.6g
たんぱく質	19.7g
カリウム	726mg
リン	281mg
脂質	30.1g
炭水化物	112.6g
エネルギー	837kcal

ごはん 250g、牛肉 60g

グラタンセット

塩分	4.4g
たんぱく質	29.5g
カリウム	874mg
リン	459mg
脂質	23.5g
炭水化物	49.6g
エネルギー	542kcal

マカロニ 75g、鶏肉 60g、牛乳½カップ

ポークソテー定食

塩分	5.3g
たんぱく質	37.7g
カリウム	1014mg
リン	459mg
脂質	46.1g
炭水化物	59.1g
エネルギー	811kcal

豚肉 120g、ロールパン 60g

スパゲティカルボナーラ

塩分	4.6g
たんぱく質	24.4g
カリウム	219mg
リン	433mg
脂質	33.6g
炭水化物	77.5g
エネルギー	732kcal

スパゲティ 250g、ベーコン 40g

ミックスピザ

塩分	7.3g
たんぱく質	47.5g
カリウム	821mg
リン	1043mg
脂質	50.9g
炭水化物	86.9g
エネルギー	1020kcal

ピザクラスト 150g、チーズ 100g

前菜盛り合わせ

塩分	1.6g
たんぱく質	10.5g
カリウム	526mg
リン	145mg
脂質	17.9g
炭水化物	25.6g
エネルギー	314kcal

フランスパン 25g、牛肉 30g

中国料理・韓国料理など

ビビンバは肉とごはんを少し減らせば安心して食べられます。
たれ、ソース、あんなどに塩分が多いので、つけすぎないで。

外食カタログ ◎ 中国料理・韓国料理など

カニたま

塩分	3.6g
たんぱく質	24.1g
カリウム	310mg
リン	365mg
脂質	43.2g
炭水化物	21.4g
	575kcal

卵3個、カニ缶40g

点心セット

塩分	4.6g
たんぱく質	36.8g
カリウム	1149mg
リン	543mg
脂質	33.9g
炭水化物	66.3g
	737kcal

春巻130g、シューマイ140g、エビギョーザ150g

棒々鶏

塩分	1.5g
たんぱく質	24.1g
カリウム	810mg
リン	325mg
脂質	7.8g
炭水化物	12.3g
	220kcal

鶏胸肉80g

タイ風さつま揚げ

塩分	6.3g
たんぱく質	30.6g
カリウム	1229mg
リン	535mg
脂質	22.6g
炭水化物	37.8g
	491kcal

さつま揚げ170g

ナムル

塩分	2.1g
たんぱく質	4.4g
カリウム	580mg
リン	105mg
脂質	8.4g
炭水化物	6.5g
	130kcal

ビビンバ

塩分	3.4g
たんぱく質	16.9g
カリウム	729mg
リン	254mg
脂質	30.2g
炭水化物	84.1g
	702kcal

ごはん200g、牛肉50g

居酒屋

少量でも塩分が多い。しょうゆはかけずにつけたほうが量は少ない。
肉や魚中心にならないよう、お浸しなどの野菜料理も選んで。

アサリの酒蒸し

塩分	3.4g
たんぱく質	3.8g
カリウム	130mg
リン	71mg
脂質	0.1g
炭水化物	2.5g
エネルギー	25kcal

アサリ殻つき 200g（正味 80g）

牛もつ煮込み

塩分	1.6g
たんぱく質	8.0g
カリウム	160mg
リン	92mg
脂質	7.9g
炭水化物	7.1g
エネルギー	129kcal

もつ 40g、もめん豆腐 30g

刺し身盛り合わせ

塩分	0.1g
たんぱく質	13.6g
カリウム	251mg
リン	168mg
脂質	3.9g
炭水化物	3.6g
エネルギー	104kcal

魚介 70g。成分値はしょうゆを除く

スモークサーモンのマリネ

塩分	2.8g
たんぱく質	15.9g
カリウム	263mg
リン	165mg
脂質	27.9g
炭水化物	5.8g
エネルギー	343kcal

スモークサーモン 60g

フライドチキンセット

塩分	3.8g
たんぱく質	23.7g
カリウム	1031mg
リン	304mg
脂質	37.1g
炭水化物	28.3g
エネルギー	574kcal

鶏肉骨つき（生）170g（正味 110g）

焼きうどん

塩分	2.3g
たんぱく質	12.1g
カリウム	341mg
リン	135mg
脂質	7.5g
炭水化物	55.0g
エネルギー	351kcal

うどん（ゆで）230g、豚もも肉 20g

ファストフード・コンビニ弁当

塩分は少なくないが、たんぱく質量で見ると焼きそばは比較的安心。ジャーマンドッグのソーセージは塩分が多い。

ジャーマンドッグセット

塩分	3.9g
たんぱく質	12.8g
カリウム	598mg
リン	235mg
脂質	27.0g
炭水化物	36.7g
	448kcal

コッペパン50g、ウインナソーセージ60g

照り焼きバーガーセット

塩分	5.1g
たんぱく質	12.6g
カリウム	943mg
リン	184mg
脂質	30.9g
炭水化物	72.9g
	645kcal

バンズ55g、ハンバーグ120g

牛カルビ丼

塩分	3.3g
たんぱく質	18.7g
カリウム	377mg
リン	255mg
脂質	42.6g
炭水化物	115.9g
	940kcal

ごはん300g、牛肉80g

助六弁当

塩分	4.2g
たんぱく質	12.3g
カリウム	322mg
リン	218mg
脂質	5.5g
炭水化物	127.4g
	641kcal

太巻き1個45g、いなりずし1個45g、細巻き1個15g

焼きそば

塩分	3.2g
たんぱく質	10.5g
カリウム	266mg
リン	102mg
脂質	17.9g
炭水化物	64.9g
	479kcal

蒸し中華めん190g、豚ロース肉4g

割り子そば

塩分	2.9g
たんぱく質	11.0g
カリウム	191mg
リン	231mg
脂質	2.8g
炭水化物	63.1g
	341kcal

そば（ゆで）220g

外食カタログ◎ファストフード・コンビニ弁当

サンドイッチ・軽食

チーズやサーモンが具のもの、照り焼き味のものは高塩分です。
軽食にソースやトマトケチャップをかけるときは控えめに。

卵サンドイッチ

塩分	1.3g
たんぱく質	10.3g
カリウム	120mg
リン	130mg
脂質	21.5g
炭水化物	28.9g
エネルギー	355kcal

パン＋バター 65g、卵フィリング 65g

チキンカツサンドイッチ

塩分	2.0g
たんぱく質	19.0g
カリウム	323mg
リン	191mg
脂質	23.6g
炭水化物	52.6g
エネルギー	510kcal

パン 81g、チキンカツ 80g

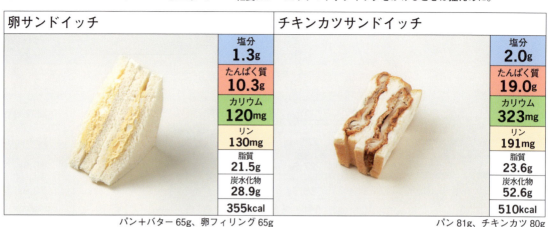

野菜サンドイッチ

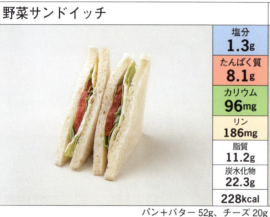

塩分	1.3g
たんぱく質	8.1g
カリウム	96mg
リン	186mg
脂質	11.2g
炭水化物	22.3g
エネルギー	228kcal

パン＋バター 52g、チーズ 20g

ベーグルサンド

塩分	2.6g
たんぱく質	18.0g
カリウム	200mg
リン	177mg
脂質	9.3g
炭水化物	54.5g
エネルギー	380kcal

ベーグル 100g、スモークサーモン 32g、クリームチーズ 20g

たこ焼き

塩分	2.9g
たんぱく質	6.7g
カリウム	未測定
リン	未測定
脂質	12.4g
炭水化物	28.3g
エネルギー	260kcal

たこ焼き 165g、ソース 8g

アメリカンドッグ

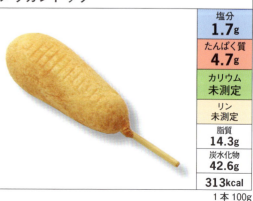

塩分	1.7g
たんぱく質	4.7g
カリウム	未測定
リン	未測定
脂質	14.3g
炭水化物	42.6g
エネルギー	313kcal

1本 100g

総菜とスープ

ひじきの煮物、青菜のお浸しは大豆製品が入っているのでたんぱく質が多い。スープは牛乳入りよりも野菜中心のものを。

青菜のお浸し
- 塩分 1.3g
- たんぱく質 4.6g
- カリウム 242mg
- リン 84mg
- 脂質 4.7g
- 炭水化物 4.5g
- 82kcal

油揚げ 15g

ひじきの煮物
- 塩分 1.4g
- たんぱく質 2.8g
- カリウム 180mg
- リン 45mg
- 脂質 3.5g
- 炭水化物 6.5g
- 75kcal

全体 100g

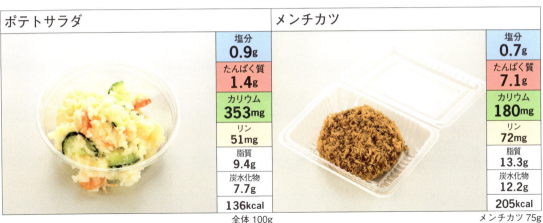

ポテトサラダ
- 塩分 0.9g
- たんぱく質 1.4g
- カリウム 353mg
- リン 51mg
- 脂質 9.4g
- 炭水化物 7.7g
- 136kcal

全体 100g

メンチカツ
- 塩分 0.7g
- たんぱく質 7.1g
- カリウム 180mg
- リン 72mg
- 脂質 13.3g
- 炭水化物 12.2g
- 205kcal

メンチカツ 75g

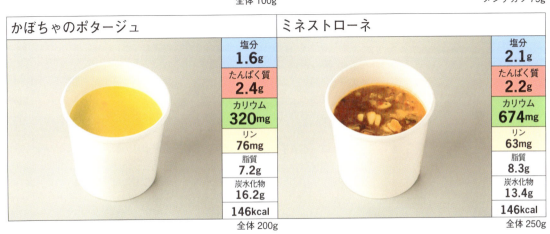

かぼちゃのポタージュ
- 塩分 1.6g
- たんぱく質 2.4g
- カリウム 320mg
- リン 76mg
- 脂質 7.2g
- 炭水化物 16.2g
- 146kcal

全体 200g

ミネストローネ
- 塩分 2.1g
- たんぱく質 2.2g
- カリウム 674mg
- リン 63mg
- 脂質 8.3g
- 炭水化物 13.4g
- 146kcal

全体 250g

外食カタログ◎総菜とスープ

腎臓病の食品早わかり 第3版
食品名別索引

20〜158ページに掲載した食品を五十音順に並べています。

食品名	ページ
あ行	
アーモンドチョコレート	147
アーモンド・フライ味つけ	84
合鴨→鴨肉	47
アイスクリーム・高脂肪	144
アイスクリーム・普通脂肪	144
青大豆・ゆで	54
青のり	75
アオヤギ貝柱→バカガイ貝柱	31
アカガイ	31
アカガイ（刺し身）	27
赤ワイン・グラス	154
ワイン	154
揚げせんべい・塩味	150
揚げせんべい・しょうゆ味	150
アサリ	30
アサリ・つくだ煮	80
アサリ・水煮	37
アジ	22
アジ（刺し身）	26
アジ・開き干し	24
味つけのり	75
のり（味つけ）	75
あずき・ゆで	82
アスパラガス→グリーンアスパラガス	64
アスパラガス・水煮缶詰め	71
厚揚げ→生揚げ	56
アップルパイ	138
厚焼き卵	53
アナゴ・蒸し	35

食品名	ページ
合びき肉・豚30％牛70％	46
合びき肉・豚70％牛30％	46
油揚げ	56
アボカド	88
アマエビ	33
アマエビ（刺し身）	27
甘栗	84
甘酒	156
甘納豆・あずき	140
アミ・つくだ煮	80
あめ玉	147
アユ・養殖	22
あらげきくらげ・乾	73
あら塩（並塩）	116
あらびきソーセージ	50
アワビ	30
あん団子→串団子・あん	140
アンチョビー→イワシ・アンチョビー	37
あんパン	102
あんまん	101
イーストドーナツ	139
イカ（コウイカ）	32
イカ（刺し身）	27
イカ（スルメイカ）	32
イカ・燻製	152
イカ・塩辛赤造り	81
イカ天	152
イカナゴ（小女子）・つくだ煮	80
イカフライ	58
イクラ	29
イサキ	23

食品名	ページ
いちご	86
いちごジャム	136
いちじく	87
いなりずし	97
今川焼き・あん	140
芋かりんとう	151
いりごま	85
イワシ	22
イワシ・アンチョビー	37
イワシ・オイルサーディン	37
イワシ・つみれ	38
イワシ・丸干し	23
イングリッシュマフィン	99
いんげん豆・ゆで	82
インディカ米ごはん	94
ウイスキー	155
ういろう	143
ウインナソーセージ	50
ウエハース	146
うぐいす豆　煮豆	83
うす口しょうゆ	117
うす口しょうゆ・低塩	117
ウスターソース	120
うずらの卵	52
うどん・ゆで	104
ウナギ・かば焼き	35
ウナギ・白焼き	35
ウニ	29
梅干し	78
枝豆	69
エダム（チーズ）	112
XO醤	124
えのきたけ	72
エビグラタン	59
エビチリのもと	127
エビフライ	58
エメンタール（チーズ）	112
エリンギ	72

食品名	ページ
えんどう豆・ゆで	82
オイスターソース	124
オイルサーディン →イワシ・オイルサーディン	37
オートミール	103
おかゆ→全がゆ・精白米	95
おから	56
おからパウダー	57
沖縄豆腐（島豆腐）	55
オクラ	65
お好み焼きソース	120
おたふく豆　煮豆	83
おにぎり・こんぶ	97
おにぎり・たらこ	96
おにぎり・ツナマヨネーズ	96
おにぎり・紅ザケ	97
おのろけ豆	151
おぼろ豆腐→ゆし豆腐	55
オリーブ油	133
オレンジ	89
オレンジジュース →バレンシアオレンジ濃縮還元ジュース	157
オレンジゼリー	145
オレンジマーマレード	136
温泉卵	53

か行

食品名	ページ
カキ	31
柿	87
カキ油→オイスターソース	124
柿の種ピーナッツ入り	152
角砂糖	134
カシューナッツ・フライ味つけ	84
柏もち	140
カスタードプリン	145
カステラ	140
数の子	29
かた焼きせんべい・ごま	150

食品名	ページ
カツオ・秋どり（刺し身）	26
カツオ・角煮	80
カツオ・削り節	35
カツオ削り節・つくだ煮	80
カツオ・塩辛（酒盗）	81
カツオだし（手作り）	129
カットわかめ	74
カテージ（チーズ）	112
加糖練乳→コンデンスミルク	111
カニ風味かまぼこ	38
かのこ	142
かぶ	68
カフェオレ	158
かぶの葉	63
かぼちゃ	65
カマス	23
カマンベール（チーズ）	112
ガムシロップ	135
鴨スモーク	49
鴨肉（合鴨）	47
からし酢みそ	119
からし漬け・なす	79
カラフトシシャモ→シシャモ	23
カラフトマス・水煮 →サケ・水煮	36
カリフラワー	67
顆粒カツオだし	128
顆粒こんぶだし	128
こんぶだし（手作り）	129
顆粒鶏がらだし	129
かりんとう・黒	151
かりんとう・白	151
かるかん	143
カレー粉	125
カレーパン	100
カレールウ	129
かわらせんべい	151
岩塩	116

食品名	ページ
韓国のり	75
乾燥マッシュポテト	77
カンパチ（刺し身）	26
かんぴょう	71
がんもどき	56
キウイフルーツ・緑肉種	86
きくらげ・乾	73
刻みこんぶ	74
キス	22
黄大豆・水煮缶詰め	54
黄大豆・蒸し	54
黄大豆・ゆで	54
きな粉・黄大豆	57
絹ごし豆腐	55
キハダマグロ	28
きび入りごはん	94
きび団子	142
キムチ・白菜	78
キムチのもと	125
キャビア	29
キャベツ	66
キャラメル	147
牛肩・脂身つき・すき焼き用	40
牛肩ロース・脂身つき・すき焼き用	40
牛・腱（スジ）・ゆで	41
牛サーロイン・脂身つき・ステーキ用	40
牛脂（ヘット）	133
牛すね肉	41
牛タン・薄切り	41
牛テール	41
牛肉大和煮缶詰め	51
牛乳→普通牛乳	108
牛乳寒天	145
牛ハラミ（横隔膜）	41
牛バラ・切り落とし	40
ぎゅうひ	143
牛ひき肉	46
牛ひき肉・赤身	46

食品名	ページ
牛ヒレ・ステーキ用	40
牛もも・脂身つき・薄切り肉	40
きゅうり	66
牛レバー・薄切り	41
ギョーザ	58
ギョーザの皮	105
魚肉ソーセージ	39
きりたんぽ	96
切り干し大根	71
切りもち	96
切りもち・スライス	96
きんかん	89
キングサーモン（マスノスケ）	20
金山寺みそ	119
ギンダラ	20
ギンダラ・粕漬け	25
きんとき豆　煮豆	83
ぎんなん・生	85
キンメダイ	20
空心菜	63
串団子・あん	140
串団子・みたらし	140
くず切り	106
くずまんじゅう	143
くずもち	143
グミ	147
クラッカー・オイルスプレー	148
クラッカー・ソーダ	148
グラニュー糖	135
グラノーラ・フルーツ入り	103
栗	84
クリーム（チーズ）	112
クリーム・乳脂肪	110
クリーム・乳脂肪・植物性脂肪	110
クリームコロッケ	59
クリームパン	102
グリーンアスパラガス	64
グリーンピース	69

食品名	ページ
くるみ・いり	84
くるみパン	100
グレープフルーツ	89
クレームブリュレ	138
黒ごま塩	116
黒砂糖	134
黒大豆・ゆで	54
黒はんぺん	39
黒豆　煮豆	83
クロワッサン・リッチタイプ	98
クロワッサン・レギュラータイプ	98
鶏卵・MS玉	52
鶏卵・M玉	52
鶏卵・M玉・卵黄	52
鶏卵・M玉・卵白	52
鶏卵・L玉	52
ケチャップ	121
減塩ウスターソース	120
減塩トマトケチャップ	121
減塩濃厚ソース	120
減塩みそ	118
玄米ごはん	94
玄米フレーク	103
濃い口しょうゆ	117
濃い口しょうゆ・減塩	117
紅茶・無糖	158
ゴーダ（チーズ）	112
コーヒークリーム・液状・乳脂肪	111
コーヒークリーム・粉末状・植物性脂肪	111
コーヒーシュガー	135
コーヒーゼリー	145
コーヒー・無糖	158
ゴーヤー（苦うり）	68
コーラ	156
氷砂糖	134
凍り豆腐・乾	56
コーンスナック	148

食品名	ページ
コーンスナック・ポップコーン	148
コーンフレーク	103
コーンフレーク＋牛乳	103
穀物酢	126
ココア	158
ココナツオイル（やし油）	133
ココナツパウダー	85
小魚・アーモンド入り	153
こしあん・あずき	83
コチュ醤	124
コハダ・酢漬け	25
ごぼう	68
ごま→いりごま	85
ごま油	133
ごましゃぶのたれ	126
小松菜	62
ごま豆腐	106
ごまドレッシング	123
小麦粉あられ	149
小麦粉スナック・プレッツェル	149
米粉入り食パン	100
米粉パン（小麦粉不使用）	100
米みそ・甘みそ（西京みそ）	118
米みそ・赤色辛みそ（仙台みそなど）	118
米みそ・淡色辛みそ（信州みそなど）	118
子持ちガレイ	21
コンデンスミルク（加糖練乳）	111
こんにゃく・精粉	77
こんにゃく・生芋	77
こんにゃくゼリー	145
コンビーフ	51
こんぶ・味つき	153
こんぶだし →手作りこんぶだし	129
こんぶ・つくだ煮	81

さ行

食品名	ページ
ザーザイ・味つけ	79

食品名	ページ
サイダー	156
サウザンアイランドドレッシング	122
さきイカ	152
サクラエビ・乾燥	34
サクラエビ・生	33
サクラエビ・ゆで	33
桜もち・関東風	141
さくらんぼ・アメリカ産	86
さくらんぼ・缶詰め	92
さくらんぼ・国産	86
サケ（シロサケ）	20
サケ・粕漬け	24
サケ（カラフトマス）・水煮	36
サケ・中骨入り水煮	36
サケ・フレーク	81
サザエ	31
笹かまぼこ	38
雑穀入りごはん	95
さつま揚げ・小判	38
さつま芋	76
さつま芋・蒸し切り干し	77
里芋	76
砂糖（上白糖）	134
サバ	21
サバ・塩サバ	24
サバ・水煮	36
サバ・みそ煮	36
サブレ	146
さやいんげん	64
さやえんどう	64
サラダ油→調合油	133
サラダせんべい	150
サラダ菜	63
サラミ	153
サラミソーセージ	50
ざらめせんべい	150
サワークリーム	111
サワラ	21

食品名	ページ
サンドイッチ用耳なし食パン	98
サンマ	22
サンマ・かば焼き	37
シーザードレッシング	122
塩	116
塩こんぶ	81
塩ザケ・甘口	25
塩ザケ・辛口	25
塩ダラ	25
シジミ	30
シシャモ・生干し	23
シフォンケーキ	138
島豆腐→沖縄豆腐	55
しめサバ	25
しめじ→ぶなしめじ	72
シャーベット	144
じゃが芋	76
ジャムパン	102
シュークリーム	138
シューマイ	58
シューマイの皮	105
春菊	62
しょうが・甘酢漬け	78
紹興酒	155
上白糖→砂糖	134
しょうゆ	117
しょうゆせんべい	150
ショートケーキ	138
ショートニング	132
食塩	116
食塩・減塩タイプ	116
食パン	98
しょっつる	124
シラス干し	34
しらたき	77
シロサケ→サケ	20
白しょうゆ	117
白だし	129

食品名	ページ
白身魚フライ	58
白ワイン・グラス	154
ジン	155
スイートコーン・クリーム缶詰め	71
スイートコーン・ホール缶詰め	71
スイートチリソース	125
すいか	87
スキムミルク	111
すじ	38
すし酢	126
酢ダコ	32
ズッキーニ	67
スティックチーズ	114
スナップえんどう	69
スパゲティ・ゆで	105
スペアリブ	43
スポーツドリンク	156
酢みそ	119
スモークサーモン	35
スモークタン	49
スモークチーズ	114
スモークレバー	49
スライスチーズ	114
ズワイガニ・ゆで	32
精製塩	116
精白米ごはん	94
赤飯	95
ゼリー	145
ゼリー飲料・エネルギー補給タイプ	156
セロリ	67
全がゆ・精白米	95
ぜんざい・つぶしあん	142
ぜんまい・ゆで	70
全粒粉パン	98
ソイミート	57
そうめん・ゆで	104
ソース	120
そば・ゆで	104

食品名	ページ
ソフトビスケット	146
そら豆	69
た行	
タイ・養殖	20
タイ・養殖（刺し身）	26
大根	66
大豆ミート→ソイミート	57
大豆もやし	68
大福もち	141
たくあん漬け	78
竹の子・ゆで	70
タコ・ゆで	32
だし入りみそ	118
だし入りみそ・減塩	118
だし巻き卵	53
たたみイワシ	34
タチウオ	21
田作り	34
伊達巻	39
タピオカパール・ゆで	106
卵→鶏卵	52
卵豆腐	53
玉ねぎ	67
たまりしょうゆ	117
タラ	20
タラ・桜でんぶ	81
タラコ	29
タラバガニ・水煮（缶詰め）	37
タラバガニ・ゆで	32
チーズ入りタラ	152
チーズスプレッド	114
チェダー（チーズ）	113
ちゃつう	142
中華風ドレッシング	123
中華めん・ゆで	105
中国風顆粒ブイヨン	128
中国風ブイヨン・半練りタイプ	128

食品名	ページ
中濃ソース	120
調合油	133
調製豆乳	109
チョココーティングクッキー	146
チョココロネ	102
チョコレートクリーム	136
チョコレートケーキ	138
チョコレートプレッツェル	147
チリソース	121
ちりめんじゃこ	34
青梗菜	62
ツナ・油漬け	36
ツナ・水煮・フレーク・ライト	36
ツナサンドイッチ	100
粒入りマスタード	125
粒ウニ	35
つみれ→イワシ・つみれ	38
低脂肪乳	108
低リン乳（いかるが牛乳）	109
低リンミルク L.P.K・粉末タイプ（クリニコ）	109
手作りカツオだし	129
手作りこんぶだし	129
手延べそうめん・ゆで	104
手巻きずし　納豆	97
デミグラスソース	127
田楽みそ	119
でんぷんめん	106
テンペ	57
甜麵醬	124
豆板醬	125
トウミョウ（芽生え）	63
とうもろこし	67
ドーナツ→イーストドーナツ	139
トマト	64
トマトケチャップ	121
トマトジュース・食塩無添加	157
トマトソース	121

食品名	ページ
トマトピュレ	121
トマトペースト	121
トマト水煮缶詰め・食塩無添加	71
ドライトマト	70
ドライマンゴー	91
どら焼き	141
トリガイ	31
鶏から揚げ（揚げ調理ずみ）	59
鶏がらだし→顆粒鶏がらだし	129
鶏ささ身	45
鶏砂肝	45
鶏手羽先	44
鶏手羽元	44
鶏軟骨	45
鶏ハツ	45
鶏ひき肉・胸	47
鶏ひき肉・もも	47
鶏胸・皮つき	44
鶏胸・皮なし	44
鶏もも・皮	45
鶏もも・皮つき	44
鶏もも・皮なし	44
鶏レバー	45
ドレッシング	122
とろろこんぶ	74
豚カツ（濃厚）ソース	120
豚脂（ラード）	133
豚足・ゆで	43
な行	
長芋	76
長ひじき	74
梨	88
なす	66
ナタデココ	92
ナチュラルチーズ・クッキング用	113
納豆	56
なつめやし	91

食品名	ページ
菜の花	62
生揚げ	56
生しいたけ	73
生ハム・促成	48
生ハム・長期熟成	48
生八つ橋・あん入り	143
なめこ	72
鳴門巻き	39
ナン	100
南部せんべい・落花生入り	151
ナンプラー	124
苦うり→ゴーヤー	68
肉団子	59
肉まん	101
ニジマス	23
日本酒・純米酒	155
乳飲料・コーヒー	109
乳飲料・フルーツ	109
乳酸菌飲料・殺菌乳製品・希釈タイプ	108
乳酸菌飲料・乳製品	108
にら	62
にんじん	65
にんじんジュース	157
ぬかみそ漬け・きゅうり	79
ぬかみそ漬け・大根	79
ねぎ	67
練りごま	85
練りようかん	141
濃厚ソース→豚カツソース	120
濃厚乳	108
飲むヨーグルト	110
のり・つくだ煮	80
ノンオイルドレッシング・和風ごま	123

は行

食品名	ページ
ハードビスケット	146

食品名	ページ
バームクーヘン	139
パイ	146
胚芽精米ごはん	94
パイナップル	89
パイナップル・缶詰め	92
パイナップル・砂糖漬け	90
バカガイ貝柱	31
白菜	66
白桃・缶詰め	92
バター	132
バター・食塩不使用	132
バターピーナッツ	84
はちみつ	135
発芽玄米ごはん	94
発泡酒・グラス	154
バナナ	87
バナナチップス	90
バナメイエビ	33
馬肉	47
ババロア	145
パプリカ・赤	65
パプリカ・黄	69
ハマグリ	30
ハマチ（刺し身）	26
ハヤシライスルウ	129
パルメザン（チーズ）・塊	113
バレンシアオレンジ濃縮還元ジュース	157
バンズパン	99
ハンバーグ	59
はんぺん	39
ピータン	53
ピーナッツバター	136
ビーフジャーキー	153
ビーフン・ゆで	105
ピーマン	65
ビール・黒・グラス	154
ビール・スタウト・グラス	154

食品名	ページ
ビール・淡色・グラス	154
ピクルス・きゅうり・スイート	79
ピスタチオ・いり味つけ	85
ビタミンC系飲料	156
一口アイス	144
氷菓	144
ひよこ豆・ゆで	82
ひらたけ	72
ヒラメ・養殖（刺し身）	26
びわ	88
ビンナガマグロ	28
ファッドスプレッド	132
ふき	70
福神漬け	78
豚肩ロース・脂身つき・薄切り	42
豚肩ロース・脂身つき・ブロック	43
豚軟骨・ゆで	43
豚バラ・脂身つき・薄切り	42
豚バラ・脂身つき・ブロック	43
豚ひき肉	46
豚ひき肉・赤身	46
豚ヒレ・かたまり	42
豚もも・脂身つき・薄切り	42
豚レバー・薄切り	43
豚ロース・脂身つき・厚切り	42
豚ロース・脂身つき・薄切り	42
普通牛乳	108
ぶどう・皮つき	88
ぶどう・皮なし	88
ぶどう濃縮還元ジュース	157
ぶどうパン	102
ぶなしめじ	72
ブラックタイガー	33
フランクフルトソーセージ	50
フランスパン	99
ブランデー	155
ブランシリアル	103
ブリ・天然	21

食品名	ページ
ふりかけ・カツオ	130
ふりかけ・サケ	130
ふりかけ・たらこ	130
ふりかけ・のりたまご	130
ブルー（チーズ）	113
ブルーベリー	86
ブルーベリージャム	136
プレーンヨーグルト・全脂無糖	110
プレーンヨーグルト・無脂肪無糖	110
プレスハム	48
フレンチドレッシング・乳化液状	123
フレンチドレッシング・分離液状	123
フレンチフライドポテト	77
プロセスチーズ・個包装	114
ブロッコリー	64
粉糖	134
ベイクドチーズケーキ	139
ベーグル	99
ベーコン・薄切り	48
ベーコン・ショルダー・薄切り	48
ヘット→牛脂	133
べにばないんげん（花豆）・ゆで	82
ホイップクリーム・乳脂肪	136
ほうれん草	62
干しあんず	91
干しいちご	90
干しいちじく	91
干しエビ	34
干し柿	90
干ししいたけ	73
干しバナナ	90
干しぶどう（レーズン）	90
干しプルーン	91
ホタテ貝	30

食品名	ページ
ホタテ貝・水煮	37
ホタテ貝柱	30
ホタテ貝柱（刺し身）	27
ホタテ貝柱・味つき	153
ホタルイカ・ゆで	33
ホッキガイ	31
ホッケ・開き干し	24
ホットケーキ	139
ポテトコロッケ	59
ポテトスティック	149
ポテトチップス・塩味	148
ポテトチップス・成形	148
ボロニアソーセージ	50
ホワイトソース	127
花椒塩	125
ポン酢しょうゆ	126
本みりん	134
ボンレスハム・薄切り	48
ま行	
マーガリン	132
麻婆豆腐のもと	127
まいたけ	72
マグロ・味つき	153
マグロ（クロマグロ）・赤身・天然（刺し身）	27
マグロ・（クロマグロ）トロ・天然（刺し身）	27
マスカルポーネ（チーズ）	113
マスノスケ→キングサーモン	20
マッシュルーム	73
まつたけ	73
抹茶ラテ	158
松の実・生	85
マドレーヌ	139
豆スナック	149
豆みそ	119
マヨネーズ・全卵型	122

食品名	ページ
マヨネーズ・卵黄型	122
マヨネーズタイプ調味料（エネルギー 50％カット）	122
マヨネーズタイプ調味料（エネルギー 80％カット）	122
丸もち	96
マンゴー	89
ミートソース	127
ミートパイ	101
ミートボール→肉団子	59
身欠きニシン	24
みかん	89
みかん・缶詰め	92
水あめ	135
水菜	63
水ようかん	141
みそ	118
みたらし団子→串団子・みたらし	140
ミックスナッツ	152
ミックスビーンズ	54
ミナミマグロ・赤身	28
ミナミマグロ・トロ	28
ミニトマト	64
みょうが	70
みりん→本みりん	134
ミルクチョコレート	147
ミルクティー→ロイヤルミルクティー	158
麦入りごはん（押し麦）	95
麦みそ	119
蒸しかまぼこ	38
蒸し中華めん	105
無脂肪乳	108
蒸しまんじゅう	141
無調整豆乳	109
ムツ・西京漬け	24
むらさき芋	76

食品名	ページ
メープルシロップ	135
メカジキ	21
芽かぶわかめ・生	74
芽キャベツ	63
メジマグロ	28
メバチマグロ・赤身	28
メバル	23
メロン	86
メロンパン	102
明太子	29
メンチカツ	58
めんつゆ・ストレート	126
メンマ・味つけ	79
もずく・味つけ	75
もずく・生	75
モッツァレラ（チーズ）・水牛	113
もなか	142
もめん豆腐	55
桃	87
桃30％果汁入り飲料（ネクター）	157
もやし	68
モロヘイヤ	65
や行	
焼きおにぎり	97
焼きそばロール	101
焼きちくわ	39
焼き豆腐	55
焼きとり缶詰	51
焼き肉のたれ・中辛	127
焼きのり	75
焼き豚・スライス	49
やし油→ココナツオイル	133
山型パン	98
大和芋	76
ゆかり	130
ゆし豆腐（おぼろ豆腐）	55
ゆであずき・缶詰め	83

食品名	ページ
ゆでうどん・袋入り	104
ゆでそば・袋入り	104
湯通し塩蔵わかめ・塩抜き	74
湯葉・生	57
湯葉・干し	57
ゆべし	142
ようかん	141
ようさい→空心菜	63
洋梨	88
洋梨・缶詰め	92
洋風顆粒ブイヨン	128
洋風固形ブイヨン（キューブ）	128
ヨーグルト・脱脂加糖	110
ら行	
ラード→豚脂	133
ライ麦パン	99
ラクトアイス・普通脂肪	144
らっきょう・甘酢漬け	78
ラディッシュ	69
ラム・チョップ	47
ラムロース・スライス	47
卵黄	52
ランチョンミート・減塩タイプ	51
卵白	52
リオナソーセージ	50
緑豆はるさめ	106
緑豆もやし	68
りんご	87
りんご濃縮還元ジュース	157
レーズンバター	132
レタス	66
レバーソーセージ	51
レバーペースト	51
れんこん	68
レンズ豆・ゆで	82
ロイヤルミルクティー	158
ローストビーフ	49

食品名	ページ
ロースハム・薄切り	49
ロールパン	99
６Pチーズ	114
わ行	
ワインビネガー	126
ワカサギ	22
わかめ →湯通し塩蔵わかめ・塩抜き	74
ワッフル・カスタードクリーム入り	139
和風ドレッシング・しょうゆごま入り	123
わらび・ゆで	70

監修者プロフィール

牧野直子 まきのなおこ
管理栄養士／料理研究家

有限会社スタジオ食(くう)代表。女子栄養大学卒業。女子栄養大学生涯学習講師。日本肥満学会会員、日本食育学会会員・評議員。

大学在学中より栄養指導・教育に携わる。独立後は「生活習慣病や肥満の予防・改善のための食生活や栄養の情報提供」、「家族みんなが楽しめるヘルシーかつ簡単でおいしいレシピの提案」のわかりやすく実践しやすい指導をモットーに活動している。活動範囲は雑誌や書籍、テレビ・ラジオ、ウェブサイトなどのマスメディア、料理教室、講演会、保健センターや病院の栄養相談など幅広い。

おもな著書・監修書
『エネルギー早わかり』、『塩分早わかり』、『減塩のコツ早わかり』、『糖質早わかり』、『コレステロール・食物繊維早わかり』、『メタボのためのカロリーガイド』、『ダイエットのためのカロリーガイド』、『元気塾弁』、『2品おかずで塩分一日6g生活』（以上、女子栄養大学出版部）、『栄養素図鑑』（新星出版社）、『ゆる塩レシピ』（学研プラス）、『野菜の栄養と食べ方まるわかりBOOK』（ワン・パブリッシング）、『70歳からの簡単、美味しい健康レシピ』（成美堂出版）など多数。

FOOD&COOKING DATA
腎臓病の食品早わかり
第3版

監修・データ作成●牧野直子
撮影●川上隆二　堀口隆志　国井美奈子　松園多聞
　　　竹内章雄（監修者写真）
ブックデザイン・イラスト●柳本あかね
校正●くすのき舎
編集協力●関 優子

2013年 2月20日　初版第1刷発行
2016年10月15日　初版第6刷発行
2018年 2月 5日　改訂版第1刷発行
2021年 2月 1日　改訂版第4刷発行
2022年11月 1日　第3版第1刷発行
2025年 6月30日　第3版第3刷発行

発行者●香川明夫
発行所●女子栄養大学出版部
〒170-8481　東京都豊島区駒込3-24-3
電話　03-3918-5411　（販売）
　　　03-3918-5301　（編集）
ホームページ● https://eiyo21.com/
印刷・製本●中央精版印刷株式会社
乱丁本・落丁本はお取り替えいたします。

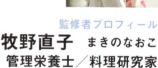

ISBN978-4-7895-0229-0
Ⓒ Kagawa Education Institute of Nutrition 2022, Printed in Japan

---

本書の内容の無断転載、複写を禁じます。
また、本書を代行業者等の第三者に依頼して電子複製を行うことは一切認められておりません。
栄養データなどの転載（ソフトウエア等への利用を含む）は、事前に当出版部の許諾が必要です。

●許諾についての連絡先
女子栄養大学出版部　電話 03-3918-5301（代）